파란 잉크

지은이 · 이서영

이 책을 읽는 모든 분들께
'감사합니다'

차
례

※주의※
'파란 잉크'는 제가 꾸며낸 이야기입니다.
누군가를 비하할 의도는 없으며,
사람에 따라 읽기 거북할 수도 있으니
주의해 주길 바랍니다.

파란 잉크

 사람들은 주로 자신의 감정을 기쁨과 슬픔으로 구분합니다.

 저는 여러분께 묻고 싶습니다.

 '당신은 지금 행복합니까?'

 아마 대부분의 사람들은 행복하다고 답할 거예요. 슬퍼하는 모습을 들키면 사람들이 싫어하니까요. 뭐 그런 게 힘들다고 투정 부리냐며 내가 짐이라도 되는 듯 피곤하게 생각하죠. 안 그래요?

 저는 그런 상황이 불편한 나머지 일부러 힘들고 지쳐도 괜찮다고 거짓말 쳐요. 어느 순간 제가 그들에게 기대면, 그들은 저를 싫어하고 귀찮게 볼테니까요.

 '파란 잉크'에 등장하는 주인공들도 마찬가지예요. 남들에게 피해 주지 않으려 괜찮은 척했지만, 그로 인해 더 큰 고난을 맞닥뜨립니다. 사회는 이들을 위해 미션 한 가지를 만들어 줬어요.

 '가짜가 아닌 진짜로 행복해지기'

 당신은 정말로 행복한 인생을 살고 있나요?

모든 문제

 하늘에서 소나기가 무척 거세게 내렸다. 그날따라
더욱 거슬리는 빗소리였다. 공부에 집중해 보려
했지만 점점 커지는 빗소리가 내 심기를 건드렸다.
짜증 나는 마음에 서랍장 이곳저곳을 뒤져보니 무선
이어폰을 발견했다. 핸드폰으로 피아노 연주곡을 트니
언제 그랬냐는 듯 빗소리가 잠잠해졌다.
 다시 공부에 집중하려니 이번에는 책상 위 지우개
가루가 신경 쓰였다. 선풍기 바람에 날아다니는
지우개 가루를 참고 볼 수만 없었다. 지우개 가루를
손으로 쓸어 모아 쓰레기통 안으로 갔다 버렸다. 나는
쓰레기통 속 지우개 가루를 계속 쳐다보았다. 이제 더
이상 거슬리는 게 없어 마음이 편안했다.

'나 지금 뭐 하는 거지'

정신이 바짝 들었다. 짧은 시간이었지만 넋 놓고 지우개 가루만 쳐다봤다는 게 부끄러워졌다. 아무도 못 봤으니 망정이다. 다시 책상 앞에 앉아 공부를 시작했다.

"정신 차리자 손지현, 이런 것도 시간 낭비야."

굳게 다짐하는 마음으로 내 뺨을 때렸다. 너무 세게 때린 나머지 볼이 얼얼했지만 잠이 깨는 효과를 볼 수 있었다.

나는 빨간 색연필을 들고 과학 문제집 56쪽을 폈다. 내가 생각한 답들이 빼곡히 적혀있었다. 이제 채점할 일만 남았다. 어차피 모든 답을 맞힐 걸 알기에 가벼운 마음으로 채점에 임했다.

문제집에는 여러 개에 동그라미만 그려져……있는 줄 알았다. 하지만 하나에 대각선도 있었다.

…. 내 인생 최악의 오답이었다.

누군가에겐 고작 한 문제 일지라도 나에겐 정말 소중한 한 문제다. 내가 문제를 틀린다는 건 흔치 않은 일이다. 문제를 틀린 이유는 지문을 잘못 읽어서였다.

분명 한 가지 답을 고르라 적혀 있었는데,

분명 내 답은 확실했는데,

하지만 답안지는 아무런 오차도 없었다. 지문을 제대로 읽지 않은 내 탓이었다.

내가 오차다. 내가 오차다. 내가 오차다.

이런 적은 오랜만이라 정신에 혼란이 생겼다.
머리에선 계속 문제의 지문이 맴돌고, 마음은 극도로
불안하고, 호흡은 가빠졌다. 숨쉬기가 버거워질 정도로
내 상태는 급격히 악화되었다. 당장 어떤 수를 쓰든지
간에 정상적인 모습을 되찾아야 했다. 그렇기에 나는
최선의 방법을 선택했다.

허벅지를 두 엄지손가락을 이용해 세게 짓눌렀다.
신기하게도 불안할 때마다 허벅지를 누르면 내 마음이
안정된다. 하지만 오늘은 이 방법이 통하지 않았다.
혹시나 하는 마음에 몸 이곳저곳을 눌러 보고
때리기도 해봤다. 몸 구석구석이 불에 타는 것처럼
따가웠지만 마음이 점점 진정되어 갔다. 멈출 수는
없었다.

30분이 지나고 나서야 내 상태가 완전히 원상
복귀됐다. 비록 온몸이 시뻘게졌지만 말이다. 때리는
것도 이젠 지쳐서 침대 위로 누웠다. 불안감은 모두
사그라들었지만 마음 한곳이 불편했다.

난 어쩌면 방금 가장 바보 같은 짓을 한 거다.
누군가는 내가 나를 때리는 와중에도 문제의 지문을
하나라도 더 읽기 위해 노력하고 있을 테니 말이다.
그렇다고 내 행동에 후회는 없었다.

'결과를 받아들여야지. 어쩌겠어.'

다시는 이런 실수를 저지르지 말자고 결심하고 또 결심했다. 다시 채점을 시작하려니 누군가 내 방문을 두드렸다. 나는 빨갛게 달아오른 얼굴을 가리기 위해 모자를 집어썼다. 이내 방문이 열리며 엄마가 등장했다.

　"아, 엄마? 무슨 일이에요?"

　"지현아, 너야말로 무슨 일 있었니? 방에서 큰 소리가 나길래 들어왔어"

　　아마 내가 때리는 소리를 들으신 모양이다. 나는 아무 일도 없다며 엄마를 돌려보내려 했다. 하지만 엄마는 수상하다며 내 모자를 벗겼다. 불그스름한 얼굴이 드러나자 소스라치게 놀란 엄마가 뒷걸음질 쳤다. 괜히 부끄러운 마음에 고개를 숙였지만 엄마는 내 고개를 다시 들어 올렸다.

　"지현아, 뭔 일이야. 몸이 왜 이렇게 빨게? 또 때린 거야? 학교에서 안 좋은 일 있었어?"

　　엄마를 걱정시킨 거 같아 민망했다. 입을 다문 채 고개를 젓자 엄마가 한숨을 내셨다.

　"그러면? 무슨 일인데"

　　계속 되묻는 엄마 앞에서 목소리가 기어들어갔다.

　"문제 한 개 틀렸는데 너무 짜증 나서 그랬어. 별일 아니니까 걱정하지 마"

삐죽 나온 입술을 애써 집어넣어 봤지만 계속
튀어나왔다. 엄마는 내 머리를 쓰다듬으며 안쓰럽게
나를 바라봤다.

"별일 아니기는, 얼굴이 이렇게 시빨간데? 그리고
살다 보면 문제 하나쯤이야 틀릴 수도 있는 거지. 안
그래? 사람이 어떻게 완벽할 수만 있겠어"

"그건 맞지만, 그러다가 다른 사람들보다 뒤처지면
어떡해? 명문대 들어가서 꼭 의사 되고 싶단 말이야"

엄마가 귀엽다는 듯이 날 보며 웃으셨다. 뭐가
그렇게 좋은 건지 도통 이해가 안 돼, 엄마를
쳐다보았다.

"걱정 마. 우리 지현이는 충분히 잘 하고 있어. 이
정도 실력이면 의사 되고도 남겠다"

"…정말?"

엄마를 무조건 믿을 수는 없었지만 그 말에 내심
기뻤다. 나는 얼굴에 웃음을 띤 채 엄마품에 안겼다.

"그럼~ 엄마는 우리 지현이 믿어"

엄마의 품이 이불같이 포근하고 따듯하기까지 했다.
편안한 나머지 나도 모르게 "기분 좋다"라는 말을
내뱉었다. 엄마는 내 등을 토닥여주며 "기분
좋아?"라고 물었다. 눈꺼풀이 무거워져 고개만
끄덕였다.

시곗바늘은 아직 오후 10시 23분을 가리키고 있었다. 별로 늦은 시간은 아니었지만 아까 있었던 일 때문인지 졸음이 몰려왔다.

"졸려?"

"응, 오늘은 좀 빨리 자야겠다"

엄마는 내가 침대에 눕는 걸 확인하고 방문으로 향했다.

"지현이 잘 자"

"엄마도 잘 자"

엄마가 전등불을 끄자 '탁'하는 소리와 함께 방 안이 새까매졌다. 나는 엄마가 방문을 닫는 걸 확인한 뒤 침대 옆에 있던 램프에 불을 켰다. 작은 조명이 침대 주위를 환하게 비췄다. 원래라면 피곤해서 바로 잠자리에 들었겠지만 오늘은 조금 달랐다.

책장에서 책을 꺼내 침대 위에 엎드렸다. 이 책은 내가 좋아하는 작가님이 쓴 추리소설이다. 시리즈가 4탄까지 나와있는 책이지만 난 아직도 3탄에 초반 부분을 읽는 중이다. 평소에는 공부만 해야 돼서 책을 읽을 시간이 많이 없었다. 다행히 오늘은 공부가 손에 안 잡혀 책을 읽을 수 있다. 이게 다행인 건가? 어쨌든. 지금은 이 책을 읽는 게 우선이다.

아침에 일어나니 몸 전체가 붉은 멍으로 뒤덮여있었다. 충격적인 모습에 입을 틀어막아도

달라지는 건 없었다. '이 상태로 학교를 어떻게
가지'라는 생각이 어제의 나를 뉘우쳤다.

캡 모자를 푹 눌러쓰고 나니 부모님의 대화 소리가
방 바깥쪽에서 들렸다. 어렴풋이 들리지만 어젯밤
나와 관련된 얘기인 걸 직감적으로 알 수 있다. 엄마
입장에서는 내가 걱정스러워 그럴지라도, 나는 아빠께
비밀을 들킨 거 같아 부끄러울 따름이었다.

아무 낌새 없는 듯 주방으로 향하자 부모님은 급하게
대화를 멈췄다.

"지현이 일어났어? 어서 와서 밥 먹자"

"응"

식탁 위에 먹음직스러운 음식들이 잔뜩 준비되어
있었다. 그중 카레라이스가 내 눈길을 사로잡았다.

"잘 먹겠습니다"

입에 묻는 줄도 모르며 카레라이스를 허겁지겁
먹었다. 부모님은 인자한 미소로 나를 빤히
쳐다보고만 있었다. 눈길이 부담스러웠지만 어젯밤
얘기를 안 꺼내는 것에 안도했다.

"잘 먹었습니다"

"카레 남았는데 더 먹을래?"

"아니 괜찮아. 오늘은 학교 좀 일찍 갈려고"

밥그릇을 싱크대에 담그고 화장실로 향했다. 그리고
항상 하던 루틴대로 나갈 준비를 했다.

현관문 앞에서 "다녀오겠습니다"를 말하자 엄마는 잘 다녀오라며 나를 꽉 안아주었다.

"학교 조심히 다녀와. 사랑해"

"응. 나도 사랑해"

엄마의 포옹으로 하루를 시작하니 없던 기운도 생기는 거 같다. 오늘 하루도 잘 버틸 수 있겠다.

"점심 맛있게 먹고 다음 시간에 보자"

4교시 수업이 끝나자 아이들의 수다 소리로 교실이 가득 찼다. 나는 수업 시간에 배운 내용을 복습했다. 애들의 말소리가 시끄러워 귀마개를 꽂았다.

시간이 조금 흐르니 교실 안에는 몇몇 아이들을 빼고는 모두 점심을 먹으러 나간 후였다. 반에는 나와 A 무리, B 무리만이 남아있었다. A 무리는 서로 마주 보며 학원 숙제를 푸는 듯 보였다. B 무리는 책상 위에 걸터앉아 큰 목소리로 수다를 떨었다. 나는 조용히 자리에서 하다 만 과학 문제집 채점을 끝마쳤다.

새로운 단원을 시작하려 했지만 아이들의 이야기 소리가 귀마개를 뚫을 정도로 크게 들렸다. 누구인지 살펴보니 B 무리 애들이었다. 그 아이들은 휴대폰 제출을 안 했는지 카메라 셔터가 깜빡거리고 입으로는 심한 욕설을 내뱉었다. 너무 불편했다.

마음 같아서는 당장 조용히 하라고 소리치고
싶었지만, 애들이 무서워 그럴 용기가 나지 않았다. A
무리 아이들도 같은 처지였다.

손으로 이마를 문지르며 공부에 집중하려고 애를
썼다. 하지만 시간이 지날수록 아이들의 목소리가
점점 커졌다. 지금 공부하기는 그른 거 같다. 이렇게
된 거, 걔네가 무슨 얘기를 나누는지 들어보았다.

"우리 5교시 뭐냐?"

"몰라. 영어일걸"

그 말에 첫 번째 아이가 두 번째 아이를 쳐다봤다.

"야, 영어 숙제 있지 않음?"

"있음"

"헐, 나 숙제 안 했는데"

"나이스 ㅋ"

목소리가 얼마나 큰지 복도를 지나가는 애들이 우리
반을 힐끗거렸다. 걔네는 아랑곳하지 않고 하던
얘기를 이어갔다.

"야, 숙제하지 마. 네가 언제부터 열심히 숙제했다고
그러냐? 영어선생님도 별로 안 혼냄"

그 말이 조금 짜증 났다.

'숙제는 해오라고 내주는 거 아닌가? 안 해오면 그게
무슨 소용이지.'

쟤네들은 평소에도 숙제 같은 건 안 해오기 일쑤이니
그냥 그러려니 하고 넘어갔다.

"안 돼, 엄마가 수행평가 잘 받으라 함. 이번에도 안 하면 나 진짜 망해"

"아이고, 그럼 숙제 열심히 해보시던가요 ㅋㅋ"

첫 번째 아이가 숙제를 하려는 생각을 가져 놀랐다. 그래도 아직 마음이 불편했다.

"아, 숙제하기 겁나 귀찮은데"

…. 그럼 그렇지, 사람은 쉽게 변하지 않는가 보다. 이번에는 저 아이가 정말 숙제를 하려고 마음먹은 줄로만 알았는데, 내 생각이 조금 짧았던 모양이다.

그때, 두 번째 아이와 눈이 마주쳤다. 아이는 날카로운 눈빛으로 나를 째려보더니 무언갈 알아낸 듯 첫 번째 아이에게 귓속말했다.

"야, 쟤한테 맡겨. 쟤 공부 엄청 잘함"

두 번째 아이가 나를 가리켰다. 나는 애들과 마주 보지 않으려 고개를 돌렸다.

"근데 쟤 성격 까칠하잖아. 100퍼 안 해줄 듯"

"아님. 저런 애들은 처음에는 싫다 그래도 다 해주게 돼있음"

"진짜?"

긴장됨과 동시에 짜증이 몰려왔다.

'공부할 거 나도 많은데, 다른 애 숙제를 내가 대신해 줘야 한다고?'

나로선 도저히 못하겠지만 늘 그렇듯 불가능이란 존재하지 않았다.

처음에는 첫 번째 아이의 부탁을 정중히 거절했다. '밀린 학원 숙제가 있다, 오늘까지 풀어야 하는 중요한 숙제이다.'와 같은 핑계로 말이다. 최대한 부드러운 말투로 얘기하며 속으로는 그 아이가 포기하길 간절히 바랐다. 그러나 그 아이도 만만치 않았다. 초롱초롱한 눈을 뜨며 내게 끈질기게 부탁했다.

"응? 지현아 제발, 내가 밥 먹으러 가야 돼서 시간이 없거든. 너는 점심 안 먹잖아. 그니까 네가 나 대신 숙제 좀 해주면 안 돼?"

내가 부탁을 안 들어주니 첫 번째 아이는 점점 화를 냈다. 그럼에도 나는 계속 걔의 부탁을 거절했다.

"미안해. 나도 할 일이 많아ㅅ…."

"친구가 부탁하잖아. 이 정도도 못 들어주냐?"

옆에 있던 두 번째 아이가 다가와 대꾸했다. 애들은 나에게 부탁이 아닌 명령하는 것 같았다. 강압감을 느끼며 내 몸은 움츠러들었다. 내가 계속 부탁을 거절하면 애들의 언성만 높아질 뿐이었다. 어차피 들어줄 수밖에 없는 부탁이기에 이만 포기했다.

"알겠어. 5교시 전까지 끝내서 네 책상 서랍에 넣어놓게. 그러면 되지?"

"헉, 고마워 지현아. 너는 진짜 천사야!"

그제야 첫 번째 아이가 환한 미소를 지으며 교실을 나섰다. 두 번째 아이는 나를 보고 비웃으며 "진작에 그럴 것이지"라는 말을 작게 속삭였다. 이 상황에서

내가 할 수 있는 거라곤 참는 거뿐인 게 너무
속상했다.

　하굣길에 핸드폰을 보니 부재중 전화 한 통이
와있었다. 발신자는 '엄마'였다. 엄마께 무슨 일이
생겼나 싶어 급히 전화를 걸었다. 몇 번에 통화
대기음이 지나니 수화기 너머로 엄마의 목소리가
들렸다.
　"지현아, 학교 끝났어?"
　"응. 이제 끝났는데, 무슨 일 있어?"
　내 질문에 엄마는 잠시 머뭇거렸다.
　"다름이 아니라 오늘 병원에 좀 가봐야 할 거 같아.
정문에서 기다릴 테니까 이쪽으로 와. 알았지?"
　당황스러웠다.
　"엄마 왜 병원으로 가? 누가 사고라도 났어?"
　"아…. 별일 아니야. 도착하면 알게 될 거야"
　엄마는 왜 인지 내 질문을 피했다. 그때부터 온갖
걱정이 들었지만 별일이 아니라는 엄마 말에 조금은
안심됐다.
　저 멀리서 엄마가 조그맣게 보이기 시작했다. 어딘가
불안한지 손톱을 물어뜯고 계셨다. 나는 어떤 심각한
일이 일어났을지 두려웠다.
　"엄마, 괜찮아? 무슨 일이 길래…."
　"일단 빨리 가자"

엄마의 손에 이끌려 택시 안으로 들아가게 됐다.
무슨 일인지 한 번 더 물었지만 돌아오는 답은 여전히
없었다. 엄마는 고개를 돌려 창문만 바라보았다.
대답이 없자 내 마음은 더욱 애가 탔다.

택시가 지나가는 길을 이용해 어느 병원으로 가는지
추리해 봤다. 하지만 평소에는 와보지 못한 생소한
길이였기에 도착지를 예상하기는 어려웠다. 어디로
가는지 궁금하고 한편으로는 긴장됐다.

"도착했습니다"

택시 운전사의 말이 끝나고 주위를 둘러보았다. 택시
주변에는 빵집, 커피숍, 마트, 그리고…아!

저기 있다. '강훈 병원'

강훈 병원은 내가 알 정도로 유명한 정신건강의학과
의원이다. 목적지가 정신병원인 걸로 봐서, 누군가
사고 난 것은 아닌 거 같아 다행이었다. 그럼 우리가
이곳에 온 목적이 무엇인지 궁금해졌다.

택시를 나와 병원으로 들어섰다. 병원 내부는 새
건물처럼 깨끗했고 많은 사람들이 진료를 받으려
대기하고 있었다.

"엄마가 접수하고 올 테니까 너는 의자에 앉아서
기다리고 있어"

상냥한 목소리와는 달리 엄마의 얼굴이 굳어있었다.
지금 심각한 상황이란 걸 짐작할 수 있었기에 순순히

엄마 말을 따랐다. 많은 인파들 속에서도 내가 앉을
자리는 마련되어 있었다.

 병원 안에는 사람들로 북적거려, 순간 머리가
어지러웠다. 안정을 취하기 위해 책가방 속 무선
이어폰을 꺼냈다. 항상 듣던 노래를 틀고 잠시 눈을
붙이려 했다. 하지만 누군가가 내 팔을 톡톡 건드렸다.

 옆을 보니 내 또래로 보이는 여자아이가 앉아있었다.
그 아이는 연보라색 머리와 밝은 청록색에 가까운
눈동자를 가지고 있어 다른 사람들 보다 훨씬 눈에 잘
띄었다.

 여자애는 내게 종이 한 장을 건넸다. 종이에는
'안녕!'이라는 한 마디가 적혀있었다. 내게 볼펜을
건네며 다음 말을 써달라는 듯 보이는 아이에 행동이
당황스러웠다. 하는 수없이 나도 '안녕.'이라는 문장을
적었다. 여자아이는 활짝 미소를 지었다. 이번에는
무슨 문장을 적으려는 건지 쑥스러워하는 기색이었다.

 '대답해 줘서 고마워! 난 서영e야. 당황스러웠을 거
같지만 너랑 친해지고 싶어서 말 걸어봤어! 물론
종이로 말하고 있지만….'

 서영이는 아까와 달리 조금은 긴장한 채 나를
바라보았다. 다음 문장은 무엇을 적어야 할지
고민됐다.

 '그래. 만나서 반가워.'

간략한 문장이었다. 쓸 내용이 마땅히 없었다.
그럼에도 서영이는 어떤 내용은 적는 건지, 아주 긴
문장을 적고 있었다.

'나도 만나서 반가워! 앞으로 자주 보게 된다면
친하게 지내자~ 넌 이름이 뭐야? 나이는 몇 살이야?
아, 그러고 보니 초면에 반말해서 미안해ㅜㅜ 학교는
어디 다녀?'

써놓은 문장들을 보니 서영이가 얼마나 흥분했는지
알 수 있었다. 이런 관심이 조금은 부담스러웠다.

'나는 지현ㅇ'

문장을 일일이 적는 것보다는 차라리 말로 대화하는
게 더 나을 거 같았다. 내가 귀에서 이어폰을 뺐고,
서영이는 놀란 듯 움찔했다.

"안녕. 서영…이랬지? 난 손지현이야."

"안녕! 이름이 지현이구나~ 이름 정말 이쁘다"

이때부터 서영이의 질문은 끊이질 않았다.

"나이는 몇 살이야? 혈액형은 뭐야? 생일은 언제야?
무슨 이유로 이 병원에 왔어?"

"나이는 14살, 중학교 1학년이고, 혈액형은 A형,
생일은 10월 25일…. 무슨 일로 왔는지는 나도 잘
모르겠어."

"그렇구나~ 헉, 우리 동갑이네? 말 놓기를 잘했다!"

서영이의 질문을 받아주기엔 내 체력이 따라가질
못했다. 서영이는 그런 내 마음을 모르는 듯, 계속해서

하고 싶은 말들을 조잘조잘 털어놓았다. 그때마다 고개를 끄덕이며 말을 들어줄 수밖에 없었다.

차라리 죽고 싶다고 생각했다. 저 입을 꿰매어 버릴 수는 없을까?

"지현아~"

엄마의 목소리가 들렸다. 머릿속으로 '다행이다'라는 생각이 스쳐 지나갔다.

서영이는 엄마께 고개를 숙이며 자기소개를 했다.

"그래, 반가워~"

이를 시작으로 엄마는 서영이와 잠시 동안 대화를 나눴다.

"그럼 다음에 보자~"

우리는 서영이를 뒤로한 채 계단으로 향했다. 멀어져 가는 우리를 향해 서영이가 손을 흔들어 주었다.

"아는 친구야?"

"아니, 오늘 처음 보는 사이야"

엄마는 서영이가 활기 넘친다며 보기 좋다고 했다. 나는 도저히 이해할 수 없었다.

'호들갑스러운 애가 뭐가 보기 좋다는 거지'

병원 2층으로 올라갔다. 하하 호호 재밌게 떠들던 엄마는 아까와 달리 근엄해 보였다. 긴장이 돼 입에 고여있던 침을 꿀꺽 삼켰다. 신경이 곤두서있어 침 삼키는 소리까지 선명하게 들렸다.

상담실 안에는 많은 사람들이 의사를 기다렸다. 이곳은 유치원생부터 노인들까지 다양한 연령대에 사람들로 가득 차있었다. 우리도 그들과 의사를 기다려야 했다. 의사를 기다리는 동안에도 엄마의 표정은 굳어있었다. 말하지는 않았지만 근심 걱정이 가득한 얼굴이었다. 나는 아무 말 없이 엄마의 손을 잡았다. 여름인데도 손이 얼음장처럼 차가웠다.

1시간가량이 지나니 드디어 우리 차례가 왔다. 긴장되는 마음을 부여잡은 채 상담실로 들어갔다.
"지현이는 어떤 점이 불편해서 왔나요?"
의사의 첫 물음부터 당황스러웠다. 오늘 진료 받으러 온 사람은 나였다. 정작 나는 아무 문제도 없는데 말이다. 엄마는 내 눈치를 살피며 의사께 조용히 귓속말했다.
"지현이가 완벽해야 한다는 집념이 조금 강한 거 같아요. 공부할 때는 문제 하나만 틀려도 화내면서 자기 몸을 때리고, 학교 시험은 모두 만점을 받아야 한대요"
내가 듣기에는 아무런 문제 사항도 없었다. 엄마가 심각한 문제라도 되는 듯 내 일상을 서술하는 게 이해하기엔 어려웠다. 하지만 지금 엄마께 대꾸할 수도 없으니 일단 얘기를 계속 들어보았다.
"증상은 언제부터 시작됐어요?"

"초등학교 3학년 때부터요. 아 그리고, 지현이는
자신이 무슨 문제가 있는지를 잘 인지 못하더라고요"
엄마는 해결책을 찾아주라며 의사께 애원했다.
의사는 진정하라며 차분히 말했다.
"여기 오는 사람들 중에 자신의 문제를 인지하는
사람들은 별로 없으니까 너무 걱정하지 마세요."
의사는 서랍을 열고 무언가를 찾는 듯 보였다.
"지현이가 이런 증상을 보인 원인은 뭐라고
생각하세요?"
대답하기 어려운지 엄마는 잠시 동안 말을
이어나가지 못했다.
"아무래도 자신의 장래희망 때문에 큰 부담감을 갖는
거 같아요. 지현이는 의사가 되길 원하거든요. 그래서
더욱 열심히, 완벽히 공부하는 거 같아요"
"그렇군요."
의사는 여러 장에 종이를 손에 들었다. 그중 한 장을
나에게 건넸다.
"오늘은 몇 가지 심리 테스트를 진행할 거예요.
질문에 대해 정직하게 답해주세요."
내키진 않았지만 어쩔 수 없이 설문지를 풀었다.
그래도 이런 검사받는다고 해서 내가 손해 볼 건
없다. 어차피 결과도 정상으로 나올 것이다.

"설문지를 기계에 인식해야 돼서 시간이 조금 걸리니까 편하게 계세요."

의사는 설문지를 들고 다른 방으로 들어갔다. 나는 혹여나 안 좋은 결과가 나올까 약간 긴장됐다.

"미안해"

엄마가 갑자기 사과를 했다. 엄마를 보니 눈물을 글썽이고 있었다. 갑작스러운 엄마의 행동에 당황했다.

"왜 그래 엄마…? 뭐 때문에 그러는데"

"엄마가 무슨 이유인지도 안 알려주고 무작정 병원으로 데리고 왔잖아. 미안해, 이러지 않으면 네가 안 올려고 할 줄 알았어"

나도 그 말에 어느 정도 공감했다.

"그건 그렇네…. 괜찮아, 나도 왜 나를 데려온 건지 황당했는데 결과만 좋게 나오면 되는 거 아니야?"

엄마의 눈물은 그치질 않았고, 엄마와 안고 있는 와중에도 내 머릿속은 설문지 결과에 대한 걱정으로 차있었다.

'만약 결과가 안 좋으면 병원에 입원해야 되는 건가? 그럼 학교는 어떻게 다니지. 공부도 다른 애들보다 뒤처질 텐데'

드디어 의사가 결과지를 가지고 나왔다. 많이 긴장한 탓인지 몸이 빳빳하게 굳어버렸다. 불길하게 의사도 목소리 톤을 낮췄다.

"결과가 나왔습니다."

"…. 결과가 안 좋게 나왔나요?"

엄마는 자신의 떨리는 두 손을 마주 잡고 간절한 눈빛으로 의사를 바라보았다.

"지현이는 지금 결과지 상으로만 봐도 심리 상태가 굉장히 불안합니다. 명상 같은 방법을 사용해 심적으로 안정을 취하는 게 좋을 거 같아요. 자세한 이야기는 당사자에게 들어야 하지만, 지금까지 들은 얘기로 보면 지현이는 일종의 강박성 성격장애인 거 같아요. 특히 공부할 때 그 증상이 두드러지는 것으로 보입니다."

…. 그 말을 들은 뒤 한참 동안 벙쪄있었다. 듣고도 믿지 못할 결과였기 때문이다. 처음에는 의사가 거짓말 치는 거라고 믿었지만 의사는 거짓말을 하지 않는다. 오로지 객관적인 사실만을 말한다. 이제는 이 결과를 받아들여야 했지만 현실을 부정할 수밖에 없었다.

'아니야, 이건 아니잖아. 난 그냥 평범한 중학생이라고'

두려운 내 모습과 달리 엄마는 꽤 태연해 보였다. 그런 모습이 내게 조금 낯설었다. 순간 둘이 입을 맞춰 나를 속인 것 같은 착각이 들었다.

하지만 이야기는 현실을 직시하라는 듯 더 안 좋은 쪽으로 흘러갔다.

"저희 병원은 입원을 권유 드립니다. 언제 상태가 더
악화될지 모르니까요. 입원을 하게 된다면 기간은
짧으면 일주일 길면 삼 개월까지 늘어날 수 있습니다.
인지치료를 중심으로 진행할 거 같아요. 지현이와
상의해 보고 입원하기로 결정 나면 일주일 뒤에 다시
오세요."

 집을 가는 와중에도 병원에서 준 안내서는
쳐다보지도 않았다. 현실을 거부했다. 엄마는 내
안색이 안 좋아 내게 물 한 잔을 건넸다.
 "지현아, 괜찮을 거야…. 사람이 살다 보면 아플 때도
있는 거지. 엄마는 다 이해해. 병원에서 입원하는 게
좋다고 했으니까, 일단 학교를 조금 쉬는 게
어떨까…?"
 엄마의 말에 더욱 억울했다. 내가 느끼기엔 나는
하나도 문제 되는 점이 없었다.
 그러나 마음속 원통함은 얼마 안 가 사그라들었다.
객관적인 증거가 있었기 때문이다. 부정하면
부정할수록 사실이 나를 더 잔혹하게 만들 뿐이었다.
문제집 답안지처럼 말이다.
 마음을 조금씩 추슬렀다. 안정을 취하려 숨을 고르는
동안에 엄마는 내 옆자리를 지켜줬다. 내 상태가 어느
정도 진정되고 나서야 엄마와 진지한 얘기를 나눴다.

처음에는 의견이 서로 엇갈렸지만 우리는 점점 의견의
타협점을 만들었다.

 이 대화로 나는 많은 것을 알게 되었고, 잃어버렸다.
하지만 그 상실감이 큰 만큼 더 좋은 것들이 나를
기다릴지도 모른다. 앞길이 안 보이는 미래가
두려워도 나를 멋진 사람으로 성장시켜 줄 것이라
믿었다. 무슨 일이든지 시작할 땐 용기가 필요하듯,
나를 이끄는 곳에 몸을 맡기기로 결심했다.

낯선 치료

 막상 입원 당일이 되니 병원에 대한 거부감을
느꼈다. 하지만 이미 뱉은 말을 도로 집어넣을 수도
없다. 멘탈을 꽉 잡은 채 병원으로 갔다.

 처음 봐보는 정신 병동은 일반 병동과 똑같았다.
다른 거라면 들어가는 입구가 쇠문으로 잠겨있다.
얼마나 위험한 사람들이 있길래 입구를 막아놓은
것인지 예측이 안 됐다.
 간호사 덕분에 편하게 내가 지낼 병실로 안내받았다.
 병실 안에는 두 명의 여자아이가 즐겁게 수다를 떠는
중이었다. 그중 한 명이 유독 낯익은 얼굴이었다. 잊을

수가 없지. 서영이만큼 눈에 띄는 아이는 드무니까
말이다.

 서영이도 나를 발견하자 강아지처럼 쪼르르
달려왔다. 반갑다며 신이 난 서영이를 보니 병동
생활이 생각보다 쉽지 않을 거 같다. 옆에 있던 처음
보는 아이가 손을 흔들었다.

 "안녕~ 난 조주희라고 해. 앞으로 좋은 시간 많이
보내자!"

 주희는 활발하고 적극적이었지만 서영이보다는
차분한 아이 같다. 그나마 다행이었다.

 "응. 나는 손지현이야."

 애들을 따라 침대로 발걸음을 옮겼다. 침대 위에
앉자 주희가 말을 꺼냈다.

 "서영이랑은 어떻게 아는 사이야?"

 "아, 일주일 전에 병원에서 처음 본 게 전부야. 그때
서영이가 먼저 말 걸어줘서 서로 알게 됐어."

 "오~ 신기하다! 나는 서영이랑 같은 초등학교를
나왔어. 그래서 예전부터 알고 지내던 사이야"

 "그렇구나."

 대화하는 내내 어색했다. 내 나이 또래 애들과 이런
대화를 나눠본 적 없어서 그런 거 같다. 그럼에도
조잘조잘 이야기하는 주희가 신기했다.

 주희가 문득 시계를 바라봤다.

"자유 시간이다. 우리 옥상으로 올라가자"

"옥상?"이라고 묻는 내게 주희가 고개를 끄덕였다.

"병원에서 하루에 3번 정도 자유시간을 줘. 이 시간에는 옥상에 있는 공원을 가거나 병원에 산책로를 따라 걸어 다닐 기회가 생겨. 뭐 다른 병실에 놀러 가도 되고"

서영이는 그 말에 벌떡 일어났다. 기대되는지 "빨리 가자! 옥상으로!"라며 재촉했다. 별로 내키지는 않지만 다른 애들이 원하기에 나도 따라나섰다.

옥상은 생각보다 넓었다. 햇빛이 쨍쨍한 더운 여름이지만 나무 그늘 덕분에 선선한 공기를 느낄 수 있었다. 공원을 돌아다니면서 다른 환자들을 유심히 관찰했다.

뒷짐을 쥔 채 천천히 걷는 할머니, 허공에 대고 박수 치는 젊은 청년, 옥상 밑을 빤히 쳐다보는 여자아이.

조금 특이한 행동을 보이는 환자들도 있었지만 대부분의 환자는 일반 사람들과 별반 달라 보이지 않았다. 주희와 서영이도 그랬다. 에너지가 넘칠 뿐이지 아직까지 정신병 환자 같다는 생각은 안 들었다. 어쩌면 나도 증상이 눈에 잘 튀지 않아 나조차 내가 병에 걸린지 모른 거 아닐까?

"잠깐 벤치에서 쉬었다 가자"

우리는 나무 그늘이 놓인 벤치에 앉았다. 벤치 아래에 있으니 더욱 바람이 잘 통하는 거 같았다.

시원한 바람을 느끼니 기분이 좋아졌다. 긴장도
조금씩 덜어졌다.

이번에는 용기를 내어 내가 먼저 아이들에게
질문했다.

"너희들은 무슨 이유로 정신 병동에 입원한 거야?"

내 질문에 아이들이 고개를 획 돌렸다. 먼저 입을 연
사람은 주희였다.

"의사는 내가 조현병이라고 했어. 처음에는 당연히 못
믿었지. 나는 환시나 환청 같은 것도 겪어본 적이
없었거든. 근데, 아무리 부정해도 바뀌는 건 없더라.
지금은 그냥 내가 조현병인 갑다하고 살아"

그 말이 공감됐다. 주희도 나와 비슷한 처지였다.

나는 궁금한 점 한 가지를 더 물어보았다.

"그럼 네가 겪는 환시나 환청을 너 스스로 모르는
거야?"

서영이는 내 팔을 툭 쳤다. 놀란 채 서영이를
바라보니 "그런 걸 굳이 물어봐야 되냐?"라고 내 귀에
속삭이듯 말했다. 나는 어리둥절했다.

"왜? 궁금해서 물어보는 것도 안 돼?"

서영이가 급히 내 입을 막으며 "상대방에게 실례되는
질문일 수도 있잖아! 네 생각만 하면 안 되지"라고
참견했다. 주희는 괜찮다고 서영이를 말렸다.

"아니…그건 아니야. 예전부터 내 옆을 지켜주는
은애라는 여자아이가 있는데, 의사 말로는 환각으로

만들어진 아이래. 그 후로 은애가 없는 존재란 걸
알게 됐지만 안 믿고 있어. 은애는 정말 내 옆에서
살아 숨 쉬고 있거든. 그래서 의사가 뭐라 하든 내가
믿고 싶은 대로 믿을 거야. 자꾸 아니라고 인식시키는
게 불편하고 힘들더라고"

　주희는 자신만에 독특한 생각을 가지고 있었다.
현실을 도피하기 위해 의사의 말을 계속 거역하는 거
같다. 이상해 보이면서도 한편으론 주희가 불쌍했다.

　이번에는 서영이에게 물었다.

"너는? 어쩌다 이곳으로 오게 된 거야?"

　아까와 달리 서영이는 어딘가 불안해 보였다. 손을
덜덜 떠는 서영이가 낯설게 느껴졌다.

"솔직히 아직 내 얘기를 할 자신은 없어. 비정형
우울증을 앓고 있다는 것만 알아줘. 나중에 때가 되면
전부 알려줄게…"

　서영이는 최대한 질문을 빠져나갔다. 애써 웃어
보이는 서영이가 걱정됐다. 어떤 일이 있었는지
궁금했지만 지금 상황에서는 조용히 있는 게 좋을 거
같다.

　곧이어 내 차례가 되었다. 애들이 내게 얼른
말하라는 듯 신호를 줬지만 아직 무슨 말을 해야 할지
정하지 못했다.

"어…. 나도 내가 보기엔 아무 문제 없는 거 같은데, 의사께서는 내가 강박성 성격장애를 가지고 있대. 짧긴 하지만 내가 아는 건 이것뿐이야…."

서영이는 시시하다는 듯 얼굴이 축 처졌다. 주희는 뭔가 흥미로운지 눈썹을 치켜세웠다. 주희의 반응에 조금 당황스러웠다.

"뭐야. 왜 그래…?"

"그냥, 여기 있는 환자들은 대부분 우울증이나 조현병, 조울증으로 입원한 사람이 다수거든. 너 같은 사유로 입원한 환자는 처음 보는 거 같아. 뭔가 색다른 느낌이 들어"

"나 같은 사람은 처음 본다고…?"

주희의 말로 내 머리는 급격히 혼란하고 불안스러웠다.

'내가 특이한 케이스인가? 그러면 안 돼…. 아냐, 아닐 거야. 내가 이 중에서 제일 정상인 거야. 그래서 나 같은 사람이 이 병원에 없는 거야. 그런 이유 때문일 거야.'

내 안색이 안 좋아지니 주희가

"내가 본 사람들 중에서…! 이 병원이 너무 넓어서 나도 모르는 사람이 많거든. 너처럼 강박성 성격장애를 앓는 환자도 많을걸…?"

라는 말을 황급히 덧붙였다. 주희 말을 듣자 조금은
안심되었다. 역시, 나와 같은 사람들도 이곳에 많이
있을 거다.

 병실에 도착해 가방 안을 꼼꼼히 살피니 핸드폰이
보였다. 이 병원은 핸드폰을 사용할 수 있지만 일정
사용시간이 지나면 핸드폰을 보관함에 반납하는
제도가 있다. 핸드폰을 사용할 수 있는 시간은 1시간
밖에 안 된다. 그래도 핸드폰을 사용할 수 있다는 게
다행이었다.
 공부를 하기 위해 핸드폰으로 인터넷 강의를
들어야만 했다. 너무 작은 화면이었다. 하지만 내가 할
수 있는 방법이 없었다. 탄식이 절로 나왔다.
 서영이도 덩달아 한숨 쉬는 소리가 들렸다. 그곳을
쳐다보니 서영이가 머리를 부여잡고 무언가를 골똘히
생각하는 중이었다.
 "무슨 일 있어?"
 내 물음에 서영이는 고개를 들었다.
 "아니, 내용이 전혀 이해가 안 가. 왜 이런 스토리로
전개되는 거지? 누가 봐도 범인은 수상범인데, 왜
모두 나억울을 몰아가고 있는 거냐고!"
 서영이가 마음이 답답한 듯 손으로 가슴을 팍팍
두드렸다.

수상범, 나억울…. 어디선가 들어 본 이름이다. 기억이
잘…아, 맞아. 내가 즐겨읽던 '달에 가고픈 토끼'라는
추리소설 속 등장인물의 이름이었다. 서영이가 이
책을 알고 있는 것은 의외였다. 이런 추리소설을
좋아할 줄 꿈에도 상상 못했으니 말이다. 비슷한
취향을 가진 거 같아 기분이 한층 들떴다.

 서영이에게 다가갔다. 책의 표지를 보는데 나에게는
조금 생소한 그림이 그려져있었다. 조금 당황하며
책을 살펴보았다.

"이거 혹시 몇 탄이야?"

 서영이는 손가락 네 개를 펴, 숫자 4를 표현했다.

 시즌 4라…. 마침 잘 됐다. 3탄을 다 읽으면 4탄은
어떻게 읽을지 고민 중이었는데, 서영이한테 책을
빌리면 되겠다는 생각이 들었다.

"무슨 문제라도…?"

"아니. 그런 건 아니고…이 책 좋아하나 봐?"

"당연하지! 이 책이 얼마나 재밌는데. 너도 이 책
좋아해?"

 서영이는 이 책에 대한 좋은 점을 줄줄이 설명했다.
같은 공통사로 서영이와 조금 더 가까워진
느낌이었다.

"나도 이 책 좋아하거든. 지금 3탄 읽고 있는데 혹시
다 읽으면 4탄 좀 빌려줄 수 있어?"

"물론이지! 맘껏 빌려도 괜찮아"

흥미로운 주제로 대화를 나누니 서영이와의 대화도
재밌고 흥분됐다. 사람들이 친구를 만드는 이유가
이런 대화로 즐거움을 느끼기 위함일까? 아직
서영이와 친구는 아니지만 앞으로 책과 관련된 얘기를
나눌 사람이 생겨서 기분이 좋다.

  아직 첫날이라 병동에서 지내는 게 적응되지 않았다.
여기서 지내면서 내가 어떻게 변화할지 모르겠어 조금
두렵다. 이곳에서 지내는 일상에 익숙해지는 게 가장
중요한 일인 거 같다.
  다행히 주희와 서영이는 성격이 나와 조금 안
맞더라도 정상적으로 보였다. 이 아이들이 내가
이곳에 적응할 수 있도록 도와준다면 정말 좋겠다.
  앞으로 내가 정신 병동에서 열심히 성장해 나가길
바란다. 다시 학교도 다니고, 정신병을 앓았음에도
불구하고 대단한 의사가 되는 게 내 목표다.
  무엇보다 부모님께 기쁜 미소를 안겨주고 싶다. 정신
병동에 입원해 부모님의 걱정을 사는 딸이 아닌,
멋지게 성장해 부모님의 자랑거리가 되어있는 딸이
되고 싶다.

이웃 환자들

벌써 이 병원에 입원한지 일주일이 다 돼갔다.
주희는 아침부터 병동 안을 소개해 주겠다며 우리를
끌고 나갔다. 생각해 보니 아직 병동 내부에 무엇이
있는지 자세히 살펴본 적이 없다. 얼떨결에 병동
곳곳을 둘러보게 됐다.
  자신을 보러 온 사람들과 얘기를 나눌 수 있는
면담실, 흥분한 환자를 진정시키기 위한 안정실, 여러
교육 활동을 진행하는 프로그램실 등이 있었다.
  그중 프로그램실이 어떤지 궁금해졌다. 안을 자세히
관찰할 수는 없었지만 학교처럼 교육을 받을 수
있다는 게 흥미로웠다.

병동에서는 그 외에도 생각보다 다양한 활동들을
즐길 수 있어서 신기했다. 반면, 서영이는 지루했는지
다른 곳은 없냐며 투정을 부렸다. 골똘히 생각하던
주희가 무언가를 깨달은 듯 눈을 번쩍 떴다.

"마음에 안 들 수도 있는데, 여기 입원하고 계신
환자들 소개해 줄까? 그렇게 위험한 분들도 아니고
모두 친절하고 착한 분들뿐이야"

서영이는 주희의 제안이 좋은지 고개를 적극적으로
끄덕였다. 그에 비해 나는 마음에 들지 않아 어깨를
으쓱했다. 주희가 무슨 이유 때문이냐며 내게 물었다.

"글쎄…. 그 환자들이 싫은 건 아닌데…아직 이 병동
생활에 적응하는데 시간이 더 필요한 거 같아. 내가
낯도 많이 가리고 사람 있는 자리를 안 좋아해서,
다른 환자들이랑 대화를 잘할 수 있을지도 걱정되고."

"에이, 뭘 그런 걸 걱정하고 그래! 우리가 옆에서
도와줄게"

"그래, 모두 좋은 분들이니까 분명 친절하게 대해주실
거야"

애들은 자신들만 믿으라며 나를 다른 병실로
이끌었다. 아직 용기가 안 나지만 애들이
도와준다기에 나도 힘을 내보기로 결심했다. 뭐든지
부딪쳐봐야 알 수 있으니까 말이다.

-떠난 아들

 첫 번째로 들어간 방에는 연세가 많은 할머니들이 계셨다. 몸이 긴장되어 제대로 움직이지 못했지만 주희가 등을 밀어주어 배꼽인사를 할 수 있었다.
 "안녕하세요."
 처음 본 사이임에도 할머니들은 우리를 반갑게 맞아주었다. 주희는 익숙한 듯이 한 할머니 품으로 달려가 안겼다. 할머니는 그런 주희를 꽉 안아주었다. 둘의 사이는 할머니와 손녀같이 보였다. 가족이 아님에도 저런 편안한 관계가 될 수 있다는 게 신기할 따름이다.
 "아, 여기 있는 애들은 저랑 같은 방을 쓰고 있어요. 왼쪽은 지현이, 오른쪽은 서영이"
 할머니들이 일제히 우리 둘을 쳐다보았다. 바라보는 눈빛이 부담스러웠지만 눈을 피할 수가 없었다.
 "애들이 참 곱게 생겼네"
 칭찬에 기분이 좋아져도 처음 만난 사이에 나누기엔 과분한 말이라는 생각이 들었다. 부끄러워 차마 숙인 고개를 들지 못해 죄송했다.
 "감사합니다."
 "아니에요~ 할머니들이 훨씬 더 이쁘신데요?"

서영이가 말했다. 내가 듣기엔 조금 버릇없어 보이는
말이었지만, 할머니들은 기분이 좋은지 박수를 치며
호탕하게 웃었다.

우리는 할머니들과 둘러앉아 오순도순 이야기를
나눴다. 그중 '김순옥'할머니가 유독 나에게 관심을
줬다.

"어쩌다 여기 들어온 거야…. 한창 뛰어놀 나이인데"

안쓰럽게 바라보는 할머니께 머쓱한 웃음을 지었다.

"하하, 그러게요…. 원래 이 시간쯤에는 학교에서
공부하고 있을 텐데 말이에요."

"공부는 무슨, 네 나이 때는 마음껏 뛰어노는 게 좋은
거야"

순옥 할머니가 내 등을 토닥였다. 할머니의 손길이
내게는 조금 불편하게 느껴졌다. 오래전부터 알고
지낸 사이도 아닌데 이런 사적인 얘기와 스킨십을
하는 건 아니라고 생각했다. 나는 순옥 할머니와 조금
거리를 두려고 했지만 그럴 수 없었다. 만약 거리를
뒀다간 나를 예의 없는 아이로 생각할 것만 같았다.

내가 어쩔 줄 몰라 당황하고 있는 사이, 할머니 한
분이 자신의 무르팍을 두드리며 화장실에서 나오고
계셨다. 주희는 한달음에 달려가 할머니 몸을 부축해
주었다. 서영이도 주희를 따라 할머니를 도와드렸다.
왠지 눈치가 보여 나도 자리에서 일어나 할머니께
다가갔다.

할머니는 내 얼굴을 보더니 화들짝 놀라 눈이
커졌다. 손뼉을 치며 나를 반기는 할머니의 행동이
너무나 당황스러웠다. 순간 '우리 가족 중 이런
할머니가 계셨나?'라는 생각도 들었다.

"아유 이게 누구야, 우리 봉길이 왔어? 엄마 보려고
뭐 하러 여기까지 왔어~"

할머니는 나를 '봉길'이라는 다른 이름으로 칭했다.
아마 나와 봉길이라는 사람을 헷갈려 한 거 같다.

"할머니, 사람을 착각하신 거 같아요."

할머니께 친절히 설명해 드렸지만 할머니는 계속
내가 봉길이라고 우기기 시작했다. 내 옷깃을
잡아끌며 울분을 토하는 할머니가 제정신이 아니라고
생각하였다.

할머니의 행동은 점점 과격해졌다. 병실 안에 있는
사람들이 아무리 말려보아도 할머니를 막지 못했다.

소동이 일어난 걸 눈치챈 간호사들이 병실 안으로
들어왔고, 그 할머니는 간호사 손에 이끌려 안정실로
향했다. 빠른 대처로 위험한 순간은 넘겼지만,
할머니께 무슨 일이 일어날지 걱정되었다.

한참 안정실 문을 주시하고 있자 순옥 할머니께서 내
옆으로 다가왔다. 뭘 그렇게 빤히 쳐다보냐는 질문에
내가 느낀 감정을 털어놓았다. 그러더니 할머니가
가벼운 웃음을 지었다.

"저분들은 간호사야. 누구보다 이런 일에 전문가적인 사람이니까 너무 걱정 말아. 저 사람, 분명 괜찮을 거야"

"그렇겠죠…?"

순옥 할머니의 말이 단숨에 납득됐다. 전문가가 아닌 내가 이런 일에 신경 쓰기에는 너무 모자란 능력을 가지고 있다.

할머니의 걱정을 뒤로한 채, 저 할머니가 어떤 분인지 의문이 생겼다.

"근데, 저 할머니는 누구세요? 왜 저를 봉길이라고 불렀을까요…."

순옥 할머니는 잠시 망설이더니 이내 입을 떼었다.

"사실 해말금 할머니는 치매에 걸렸어. 그래도 우리들 얼굴은 기억하던 사람이었는데…몇 주 전부터 자기 아들을 몬 본 지 꽤 돼서 점점 미쳐가는 거 같아. 이제는 사람도 구분 못하고 조금이라도 흥분하면 짐승처럼 달려든다니까"

이 말에 따르면 봉길이라는 사람은 말금 할머니의 아들이다. 치매로 인해 봉길이와 나를 동일 인물로 착각한 거 같다.

순옥 할머니는 치가 떨린다며 손으로 몸을 더듬었다. 나도 말금 할머니가 좀 무서웠지만 병이라니 어쩔 수가 있겠는가…. 거리를 두는 게 최선의 방법이다.

순옥 할머니가 깊은 한숨을 내쉬었다.

"아휴, 그래도 참 불쌍한 사람이야. 아들은 자기 자식 키우느라 바빠서 병원 한 번을 안 찾아오니 외로워서 쓰겠나"

안정실을 응시하는 순옥 할머니의 눈에 걱정이 드러나보였다. 말금 할머니의 사정을 어느 정도 알게 되니 나도 말금 할머니가 안타까웠다.

떠난 아들을 그리워하는 부모님의 심정을 알 수는 없었지만, 이 얘기를 듣자마자 엄마의 얼굴이 머릿속에 떠올랐다.

'어쩌면 우리 엄마도 말금 할머니와 비슷한 감정을 느끼고 있지 않을까? 병원에 입원한 딸을 뒤로하고 하루하루를 살아간다는 건 어떤 느낌일까. 얼마나 마음이 아플까'

심란한 표정으로 고민하고 있는데 순옥 할머니가 아무 말 없이 내 등을 토닥여주었다. 마치 내 기분을 모두 이해한다는 듯이 말이다. 물론 내 마음을 정확히 알진 못하겠지만 어느 정도 내 생각을 헤아린 거 같다.

순옥 할머니의 표정이 무척 진지했다.

생각해 보면 순옥 할머니께도 사랑하는 가족이 있을 것이다. 그러면 말금 할머니의 마음을, 우리 엄마의 마음을, 내 마음까지도 이해할 수 있는 걸까? 같은 엄마이기에, 가족이 있기에 우리는 마음으로 연결된

것일지도 모른다. 누군가를 아끼는 마음, 걱정하는
마음, 사랑하는 마음은 표현하는 방식이 다르더라도
누구나 똑같이 느낄 수 있는 감정이기 때문이다.

-완벽한 바이올린

두 번째로 들어간 방에서는 초등학교 3~4학년 정도
돼 보이는 아이들이 우리를 반겼다. 주희를 발견한
아이들은 "언니~!"라고 외치며 주희 품 안으로
들어갔다. 꼬마들은 내 옆에 서있으면 명치에 올
정도로 작은 키를 가지고 있었다.
"왼쪽부터 차례대로 성아, 이나, 혜린이야"
주희는 우리들에게 아이들의 이름을 알려줬다.
꼬마들에게도 우리를 소개해 줬다.
"얘들아, 이 언니들은 이번에 새로 들어왔어~ 서영이
언니랑 지현이 언니야"
아이들은 우리 쪽으로 성큼성큼 걸어왔다. 고개 숙여
인사하는 어린애들이 정말 귀여웠다.
"언니들 안녕하세요!!"
"그래, 안녕."
"우와~! 언니 키 진짜 크다! 주희 언니보다 커요!"
한 아이는 내 키가 주희보다 훨씬 크다며
부러워했다. 주희가 짜증 났는지 "저게 뭐가 커? 나도

나중에 엄청 클 거 거든!"이라고 불평했다. 왠지 모를
승부욕이 느껴져 입꼬리가 씰룩거렸다.

"어쭈? 웃어? 실실 쪼개지 마라. 네 이빨 털어버린다"
주희가 씩씩 거리며 주먹을 꽉 쥐었다.

"그래. 앞으로 더 클 수 있을 거야."
나는 주희를 약간 도발했다. 주희는 내 모습에
답답한 듯 가슴을 쳤다. 곧이어 허공에 대고 "은애야!
쟤 좀 어떻게 해줘~"라며 혼잣말했다. 아마 그 자리에
은애라는 아이가 서있는 모양이다. 내 눈에는
아무것도 안 보이는데 주희는 정말 은애가 보이는
걸까? 신기했다.

커튼으로 가려져있던 침대 위에 성숙해 보이는
여자가 앉아있었다. 너무 조용히 있어 눈치를 못 챘다.
그 여자는 우리가 수다 떠는 소리도 신경 안 쓰이는지
창문만 쳐다보고 있었다. 나는 주희에게 다가가 저
여자를 가리켰다.

"근데, 저분은 누구야?"

"아, 저 언니?"
주희가 그쪽을 힐끔 쳐다보고 다시 고개를 돌렸다.

"은찬비라고, 예전에 바이올린 치던 언니야. 사회
불안 장애로 여기 들어오게 됐는데, 평소에 하는
일이라곤 창문 밖만 쳐다보는 게 다야. 이유는 자세히
모르겠지만…."

"사회 불안 장애?"

"…응"

떨리고 낮은 목소리였다. 찬비 언니가 내 물음에
답한 것이었다. 살짝 당황했지만 찬비 언니께 자세한
설명을 부탁했다.

"사회에서…공포나, 불안한 감정을 느끼는
사람이래…. 정말…그렇게 보여…?"

나는 한치에 망설임 없이 "네."라고 답했다. 찬비
언니는 우리 앞에서 말하는 거조차 어려워했다.
언니는 "그렇구나"라며 어깨를 축 늘어트렸다.

"그런데 언니는 왜 계속 창문을 쳐다보는 거예요…?"

서영이가 기세를 틈타 찬비 언니께 물어보았다.
언니는 대답하기 어려운지 같은 말을 반복했다.

"어…그게 말이지…. 그게, 그게 말이지…."

"언니, 힘들면 안 말해줘도 괜찮아요"

주희가 찬비 언니를 배려해 줬다. 언니는 무언갈
결심한 듯 고개를 저으며 숨을 골랐다.

"사실…그냥 다른 사람과 말을 섞지 않으니 할 게
없어서 창문만 바라보는 거야…. 그리고 혹시나…우리
부모님이 올까 봐 기대하는 것도 있고…."

"부모님이요?"

서영이의 물음에 찬비 언니가 고개를 끄덕였다.

"응…. 우리 부모님은 무지 바쁜 사람들이야…. 어릴
때부터 관심을 많이 못 받아서 부모님께 잘…보이고

싶었어…. 그래서 시작한 게 바이올린인데…역시
나한테는 무리였나 봐…."

언니는 떨리는 손으로 머리를 긁적였다. 우리는 찬비
언니의 얘기를 경청했다.

"무대 앞에 서있기만 해도…헛구역질이 나왔어….
연주하는 내내 사람들의 시선이 무서웠어…. 꾸역꾸역
한 곡을 연주했다 쳐도…부모님의 실망만 살
뿐이었어…. 내 곡은 완벽하지 못했거든…. 난 그저
부모님의 사랑을 받고 싶었을 뿐인데…."

찬비 언니는 눈물을 흘렸다. 거친 숨을 들이쉬고
내쉬었다. 주희와 서영이가 언니를 진정시키려 힘을
썼다. 나는 언니를 도와주진 못했다. 하나 마음속으로
언니를 이해하고 있었다.

여태 부모님을 위해 노력했던 순간들이 병으로 인해
무너지게 된다는 건 너무 안타까운 일이다.

찬비 언니께 바이올린은 재밌어서가 아닌 부모님의
사랑을 받기 위한 수단이었을 거다. 내가 부모님의
자랑거리가 되기 위해 공부를 하는 것처럼 말이다.

하지만 부모님은 찬비 언니의 노력을 알아봐 주지
못한다. 우리에겐 얼마나 노력했는가 보다 얼마나
잘하는지가 더 중요했다.

언니의 마음은 내 입장과 비슷했다. 그렇기에 더욱
언니의 심정을 잘 공감할 수 있었다.

잠시 침묵에 잠겼다. 복잡한 생각들이 머리를 가득 채웠고 많은 생각을 정리하기 위해 시간이 필요했다. 그건 찬비 언니도 마찬가지다. 누구보다 그 고통을 잘 아는 언니기에 본인이 가장 혼란스러울 것이다.

 나는 아무 말 없이 병실을 나왔다. 애들이 당황하며 나를 뒤따랐다. 아이들이 왜 나가냐고 물어봤지만 "그냥"이라고 대충 넘겼다. 언니가 안정할 수 있게 시간을 주고 싶었다.

 우리는 그 외에도 여러 병실을 돌아다녔다. ADHD를 앓고 있는 젊은 여자도, 분노조절장애를 가진 아주머니도, 뭐가 재밌는지 껄껄 웃어대는 알코올 중독자들도 볼 수 있었다. 모두 정신병을 가진 이유로 병원에 입원했지만 모습은 천차만별이었다.

 많은 병실을 둘러보고 나니 시간은 어느새 잠잘 시간을 가리키고 있었다. 몸이 무척 피곤했다. 지친 몸을 이끌고 침대에 누우며 앞으로의 병동 생활이 어떨지 떠올려보았다.

 어떤 면에서는 희극이 될 수도, 또 어떤 면으로 보면 비극이 될 거다. 이곳에 지내면서 내 상태는 지금처럼 정상적인 모습일 수도, 아니면 저들처럼 정신 나간

모습으로 변할 것이다. 내 마음이 기대보단 두려움 쪽으로 치우쳐있었다.

 하지만 두렵다고 포기하는 건 바보 같은 짓이다. 미래를 경험해 보지 않으면 어떻게 알 수 있겠는가? 내가 도전해 보기 전까진 아무도 내 미래를 모른다. 그렇기에 일단은 시도해 봐야 한다.

 나는 마음을 가다듬은 채 눈을 감았다. 마지막으로 격려의 말을 마음에 새기며 잠을 잤다.

걱정 마. 모든 게 잘 풀릴 거야

우리의 정

　엄마가 내 쪽으로 몸을 기울였다. 뭐가 그렇게
걱정되는지 궁금한 걸 이것저것 물어보았다.
　"지현아, 병동 생활은 어때? 주변 환자들은 괜찮아?
누가 너 괴롭히거나 그러는 거 아니지?"
　나는 엄마께 괜한 걱정 하지 말라며 웃어넘겼다.
　"아직 이 주일 정도 밖에 안 돼서 잘 모르겠는데
나한테 패 끼치는 사람은 없어. 같은 방 쓰는
아이들도 괜찮아"
　엄마는 "다행이다"라는 말과 함께 안도의 한숨을
내쉬었다. 곧바로 가방 안에서 무언가를 급히 꺼내는
걸 볼 수 있었다. 웬 도시락통이었다.

"너 주려고 음식 좀 몇 가지 만들었어. 저번에 카레 잘 먹길래 카레도 가져왔어"

금세 책상 위에 많은 음식들이 자리 잡았다. 모두 내가 좋아하는 메뉴들뿐이었다. 놀란 기색을 숨길 수 없었다.

"음식은 왜 이렇게 많이 만들었어? 다 먹지도 못할 거 같은데"

"못 먹으면 남기면 되지~"

엄마의 얼굴이 무척 만족스러워 보였다. 나는 겉으로 티를 안 냈지만 내심 기뻐했다. 오랜만에 먹어보는 엄마 밥이 그리웠었다.

왼손으로 젓가락을 들었다.

"잘 먹겠습니다"

엄마가 만들어준 밥은 역시 맛있었다. 음식을 준비하느라 고생했을 엄마를 떠올리며 밥을 더 열심히 먹었다. 하지만 내가 밥을 먹을 동안, 엄마는 숟가락조차 들지 않았다. 내가 밥을 다 먹을 때까지 기다리고만 계셨다. 나는 엄마 손에 수저를 쥐여줬다.

"엄마도 보고만 있지 말고 좀 먹어. 그렇게 쳐다보면 신경 쓰여서 밥이 제대로 넘어가겠나"

내 말에 엄마가 뿌듯한 미소를 지었다.

"엄마 걱정해 주는 거야? 우리 딸 다 컸네~"

엄마는 어쩔 수 없다는 듯 밥을 펐다. 식사 중에는 아무 말도 오고 가지 않았지만 따뜻한 기운이 우리를 감쌌다.

식사를 마치고 엄마는 가방에서 무언가를 꺼냈다. 이번에는 또 뭘 꺼내려는 건지 은근 기대되었다.
"짜잔~!"
달에 가고픈 토끼 4탄이었다. 그렇다. 내가 가장 좋아하는 추리소설이다.
눈이 동그래지며 몸이 움찔거렸다.
"내가 가장 좋아하는 추리 소설이네. 웬일이야?"
"3탄 언제 다 읽을지 모르니까 미리 사주는 게 좋을 거 같아서 샀지"
원래는 서영이한테 책을 빌리기로 해서 필요 없었다. 그래도 소장용으로 보관할 생각을 하니 기뻤다. 몸이 붕 뜨는 것 같았다.
엄마가 "좋아?"라고 물었다.
"응! 당연하지"라고 말하니 내 머리를 쓰다듬었다.

"엄마 없이도 잘 지낼 수 있지?"
엄마는 걱정하는 눈빛으로 나를 바라봤다.
"에이 그럼, 내가 무슨 어린애도 아니고"
우리는 짧은 시간이었지만 진심 가득한 말을 잔뜩 주고받았다. 평범한 대화여도 이제는 한마디 한마디를

신중하게 내뱉었다. 그만큼 엄마와의 대화가 너무
소중했다.

　아쉬움을 뒤로한 채 병실로 발걸음을 옮기는데,
간호사가 나를 불렀다. 간호사는 뛰어온 건지 숨을
헐떡거렸다. 당황스러웠지만 무슨 일인지 침착하게
물어봤다.

"편지 전해드리려고요. 지현님한테 보낸 편지예요."

"네? 제 이름으로 온 편지요?"

　간호사가 고개를 끄덕이며 내게 편지 한 통을
건넸다. 그 편지는 정말 나에게 온 편지였다.

　'나한테 편지 보낼 사람은 없을 텐데. 혹시,
아빠가…?'

　기대를 품으며 보낸 이의 이름을 확인했다. 아쉽게도
그 자리엔 아빠가 아닌 '같은 반 유리가'라고
적혀있었다. 유리라면…우리 반 A 무리의 일원이다.
반에서 친절하고 착하다고 소문났지만 나한테 편지를
보낼 이유는 없었다. 우리는 학교 다닐 때 대화 몇
마디도 주고받지 않은 동급생에 불과했다.

　'유리가 왜 편지를 보냈을까'

　궁금한 마음에 편지봉투를 열었다. 편지지를 꺼내니
빼곡한 글자들이 눈에 띄었다.

　'지현이에게

지현아 안녕? 난 너랑 같은 반 민유리야. 갑작스럽게 편지를 보내서 네가 많이 당황스러울 거 같아…. 그래도 내 편지를 끝까지 읽어줬으면 좋겠어.

몇 주 전에 담임선생님이 네가 걱정된다며 나보고 병문안을 갔다 오라고 했어. 나도 네가 입원한 병원에 방문해 보려 했는데 나 같은 애가 너를 만나도 될지 많이 걱정돼서 편지로만 인사 전해.

네가 정신병원에 입원했을 줄은 꿈에도 상상 못했어. 너 같이 공부도 잘하는 아이가 정신병이 있다니, 믿을 수가 없지.

근데 생각해 보면 네가 학교생활하면서 많이 힘들었을 거 같더라. 맨날 반 아이들이 필요할 때만 너 찾고, 평소에는 너한테 관심도 안 주는 걸 보니 네가 안쓰럽고 미안한 감정이 들었어. 이 편지를 통해서라도 너에게 용서를 구하고 싶어.

네가 힘들 때 모른 채 하고 안 도와줘서 미안해. 내 일이 아니라고 신경 안 쓰고 용기 못 내서 미안해.

내가 많이 지질한 거 알아. 하지만 지금 많이 반성하고 있어. 내 마음이 잘 전달됐으면 좋겠다.

거기서는 힘든 일 없이 행복하게 지내길 빌게. 나중에 보자!

-2023년 7월 17일, 유리가-'

…. 충격적이었다.

편지를 받은 것도 충분히 당혹스러운데 편지의
내용이 나를 더 혼란하게 만들었다.

여태껏 누군가가 나를 어떤 사람으로 생각할지 신경
써 본 적이 없었다. 아니, 물론 있다. 누구보다 공부를
잘하고 뛰어난 아이. 하지만 다른 사람이 나를 좋은
면이 아닌 나쁜 면으로 바라보고 표현해 준 건
처음이었다. 게다가 나를 안쓰럽게 생각했다.

나는 진심으로 고민해 봤다. 내가 겉으로 보기에
많이 힘들어 보이는지, 정말 불쌍한 아이처럼
보이는지. 알 수 없었다. 이제껏 내가 어떤 사람인지
큰 관심을 가지지 않아서이다.

유리가 나에게 편지를 준 건, 무슨 의미일까? 그
자체가 의아했다. 별로 친하지 않은 사람에게 관심
가지는 일은 흔치않다. 심지어 본인조차 내가
당황스러워할 것을 예상했다. 유리가 편지를 보낸
이유가 정말 사과하기 위해서인지, 아니면 다른
이유가 있는 것인지 궁금했다. 게다가 잘못한 것이
없는데 사과한다는 것도 참 이상했다.

온갖 고민들과 함께 발걸음을 옮기다 보니 어느새
병실에 도착했다. 병실에 도착한 후에도 여러
궁금증이 내 머릿속을 맴돌았다. 생각하는 데 시간을
너무 많이 써서 그런지 머리가 어지러웠다.

애들은 내가 걱정됐는지 한걸음에 내 곁으로 몰렸다. 서영이가 무슨 일이냐고 물어봤지만 머리가 너무 아파 아무 말 없이 머리를 부여잡았다.

'톡'하고 무언가 떨어지는 소리가 들렸다. 직감적으로 큰일이 났음을 감지했다. 떨어진 물건은 내가 주머니에 넣어논 유리의 편지였다.

편지가 떨어지자마자 손을 뻗었지만 편지를 주운 사람은 주희였다.

"뭐야? 편지네"

"아, 별거 아니니까 나한테 좀 줄래?"

주희에게 정중히 부탁했다. 주희는 그런 나를 약 올리기라도 하듯 편지봉투를 더 자세히 살펴봤다. 아직 편지지를 확인 안 했지만 당장이라도 편지를 읽어볼 기세였다.

"같은 반 친구가 편지도 써줘? 좋은 친구네~"

서영이도 궁금하다며 편지를 읽어보려고 봉투를 열었다. 나는 불안한 마음에 버럭 소리를 지르고야 말았다. 애들은 내 고함소리에 깜짝 놀란 듯 눈을 동그랗게 떴다. 갑자기 화를 내는 내 모습에 나 또한 놀랐다. 소리를 지르려던 의도는 전혀 없었다. 미안해서 애들에게 사과해 봐도 아이들은 많이 놀랐는지 넋이 나간 표정으로 천장을 바라봤다.

마음이 조금 진정되고 나서야 나는 그 편지에 관한 이야기를 꺼낼 수 있었다.

"유리는 그냥 동급생이야. 평소에 대화를 나눠본 적도 없고…. 편지를 왜 보냈는지는 나도 잘 모르겠어. 아까 갑자기 화내서 미안해. 나도 소리 지를 의도는 없었는데 너희가 편지를 열어볼까 봐 불안해서 그랬어…."

애들이 내 심정을 이해한다는 듯 고개를 끄덕였다. 불편했던 마음이 조금이나마 안심되었다.

뒤이어 서영이가 내게 물었다.

"그럼 이제 뭐 할 거야?"

밑도 끝도 없이 물어보는 질문에 조금 당황스러웠다.

"그게 무슨 말이야?"

"어쨌든 유리한테 편지를 받았잖아. 그러면 답장 편지를 보내거나 문자를 보내는 게 예의 아닐까…?"

주희도 서영이 말에 동의하듯 고개를 끄덕였다.

"아무래도 그게 좋겠지? 유리라는 애가 네 답장을 기다릴 수도 있으니까…."

그 말에 나는 잠시 고민했다. 유리가 일방적으로 내게 편지를 보낸 건데 내가 꼭 그것에 대한 보답을 해야 하는 것인가? 별로 친하지도 않은데 고맙다고 답장하면 오히려 가식적으로 보이지 않을까? 먼저 편지를 보낸 건 유리니까 괜찮으려나….

깊은 생각 끝에 유리에게 답장을 보내보기로 마음먹었다. 하지만 두 개에 난관이 있었다.

첫 번째 난관은 편지지였다. 나에겐 유리의 전화번호가 없기에 편지를 써야 했다. 이곳에 들어오면서 편지지가 필요할 줄은 누가 알겠는가? 처음부터 앞으로 나가질 못하고 제자리걸음을 반복할 위기에 빠졌다. 주희가 걱정마라며 한 가지 방법을 제안했다.

"편지는 어차피 유리 만날 때 줘야 하잖아. 일단 너희 어머니께 다음 면담 때 편지지를 가져와달라고 부탁하는 게 어떨까?"

그런 방법이 있었다. 엄마께 심부름을 시켜 미안했지만 첫 번째 문제는 쉽게 해결됐다.

진짜 심각한 문제는 두 번째 난관이었다. 편지지의 적을 내용이 마땅치 않았다.

"잘 생각해 봐~ 아무리 동급생일지라도 편지의 쓸 내용 정도는 있을 거 아니야?"

"그래. 정 없으면 나한테 편지 보내줘서 고맙다, 앞으로 잘 지내자, 이런 내용 쓰면 되지"

아이들이 여러 내용을 제시했지만 나는 하나같이 거절했다. 진심이라곤 눈곱만큼도 들어가지 않은 꾸며낸 얘기들뿐이었다. 아무리 나와 관계없는 아이지만 유리에게 내 진실한 감정을 전해주고 싶었다. 나는 '편지를 보내줘서 고맙지만 우리가 이럴 정도로 가까운 사이는 아닌 거 같아.'라는 간략한

내용을 제시했다. 하지만 애들은 내 의견을
적극적으로 거부했다.
"절대 안 돼, 너 그러다 큰일 나!"
"맞아. 유리랑 싸운 것도 아니고, 그냥 좋게
넘어가자"
　조금 어이없었다⋯. 편지는 진실한 마음을 전달하기
위해 쓰는 거 아닌가? 내 진심을 속이면 그게 진정
편지라고 할 수 있는 건가?
　황당하긴 하지만 애들이 나보다 편지를 써본 경험이
훨씬 많기 때문에 이번 한 번만 애들의 뜻을 따르기로
했다.
"흠, 그럼 편지에는 무슨 내용을 쓰는 게 좋을까⋯."
　여태껏 고민하던 문제였지만 다시 원점으로
돌아왔다. 그리고 다시 처음부터 차근차근 생각해야
했다.
　여전히 편지를 쓰는 건 나에게 너무나도 어려웠다.
수학 문제도 술술 잘 푸는 내가 고작 편지 때문에
많은 시간을 사용하고 있었다. 힘들어하는 내게
서영이가 또 다른 방법을 제시했다.
"아니면 내가 대신 편지 써줄까?"
"⋯뭐?"
　서영이의 물음에 순간 헛웃음이 나왔다.
"아니, 네가 편지 쓰는 거 힘들어하니까 차라리 내가
대신 써주는 게 나을 거 같아서 하는 말이지"

"…그걸 말이라고 하는 거야?"

가면 갈수록 어이없는 서영이의 모습에 화가 치밀어 올랐다. 편지 내용을 고민하던 와중에 옆에서 간섭받는 것도 짜증 났는데, 이젠 하다 하다 내 편지를 대신 써주겠다니. 나를 편지도 못쓰는 바보 취급 하는 거 같았다. 내가 편지하나 못쓴다고 이런 말까지 들어야 되나? 순간적으로 밀려오는 짜증에 또다시 화를 내버렸다.

그러자 서영이가 왜 그러냐며 자신은 그냥 도와주려 그런 것이라고 말했다.

"도와주려고? 옆에서 이래라저래라 명령하는 게 도와주는 거야? 내가 편지 쓰겠다는데 왜 자꾸 가만히 못 놔두고 네 마음대로 하려 그러는 거야? 그냥 가만히 있으면 안 돼?"

내 말에 서영이도 어이없다는 듯 불만을 털어놓았다.

"너야말로 왜 그래? 네가 편지 못 쓰고 방황하니까 내가 도와주는 거잖아. 내가 그 정도 일에도 참여하는 게 싫어? '**친구**'니까 더 관심을 주고 도와주고 싶은 거야"

'**친구**'…. 그 단어가 되게 거슬렸다. '**친구**'란 뭘까. 서영이는 왜 나를 '**친구**'로 생각할까. '**친구**'가 되기 위해서는 무엇이 필요할까.

나에게 '**친구**'란, '**친구**'란…있어본 적이 없어 잘 모르겠다.

나는 학교에서조차 **친구** 없이 혼자 지냈다. 모두들 내가 공부만 열심히 한다고 재수 없다며 하나같이 나를 기피했다. 물론 사람들이 같은 나이 애들을 묶어 **'친구'**라 칭했지만 진짜 **친구**처럼 돈독한 사이에 아이는 없었다. 그래서 **친구**라는 존재를 만들기가 싫고 두렵다. 그들은 나를 보이는 모습으로만 판단할 것이고, 언제든 내가 마음에 안 들면 가차 없이 떨궈버릴 것이다. 그런 모습이 잔인하고 비열해 보였다.

그런데 서영이가 나를 **'친구'**라고 불렀다. 서영이도 나를 겉으로만 판단할까 봐 무서웠고, 내 어떤 모습이 마음에 들어 나를 **'친구'**로 생각하는지 의아했다.

나 같은 애가 서영이와 **'친구'**가 될 수 있는 걸까. 쟤는 무슨 이유로 나를 **'친구'**라고 생각할까. 내가 싫어지면 분명 걔들처럼 나를 괴롭히겠지?

내게 화를 내던 서영이를 잊은 채 **'친구'**라는 단어에만 꽂혀 있었다. 내 어깨를 톡톡 치는 주희 덕분에 다시 사태를 파악할 수 있었다. 마음을 다잡은 채 차분히 내 생각을 털어놨다.

"그래, 네 입장에서는 나를 도와주고 싶었겠지. 오히려 그 일로 머리가 더 복잡해졌어. 고맙지만 편지는 나 혼자 쓸게. 그리고 나는 너랑 친구가

아니야. 너는 무슨 이유로 나를 친구로 생각하는
거야? 대체 어떤 면에서 내가 좋아?"
 내 질문에 돌아오는 답이 없었다. 모두 나를
원망하는 눈으로 바라보았다. 서영이의 눈에서 눈물이
줄줄 흘러내렸고, 주희는 눈을 이리저리 굴리며
눈치를 살폈다. 지금이 무슨 상황인지 감이 잡히질
않았다. 아무것도 하지 못한 채 가만히 애들을
주시했다.
 서영이가 병실을 나섰다. 어디를 가냐고 묻고
싶었으나 주희가 나를 붙잡았다. 주희는 심각한
상황을 암시하듯 미간을 찌푸렸다. 서영이가 나가는
걸 확인하고 격양된 목소리로 내게 화냈다.
 "야, 너 왜 그러는 거야? 서영이랑 무슨 일 있었어?"
 언성을 높이는 주희의 말이 이해 안 됐다. 답답한
마음에 조금 짜증을 냈다.
 "뭐가? 그냥 내가 하고 싶던 말한 게 전부야."
 계속 강조하는 부분이지만 나는 그저 내 생각을
표현한 것뿐이다. 그런데 이 말을 듣고 상처받을
이유가 있을까. 그냥 '그렇게 생각하는구나'하고
넘기면 되는 거 아닌가?
 주희가 한숨을 쉬며 자신의 이마를 세게 쳤다.
'탁'하는 소리의 깜짝 놀랐지만 주희의 다음 말을
기다렸다.

"그래, 너는 그렇게 생각했겠지. 서영이는? 걔
입장으로 생각해 본 적 있어? 우리는 너랑 친해지려고
많이 다가가고 있어. 근데 네가 자꾸 벽을 쌓고
우리랑 거리를 두고, 기분 나쁜 말만 내뱉으면 더
이상 너랑 못 지낼 거 같아. 서영이 입장이 이해가 될
때 서영이한테 진심으로 사과하고 끝내자. 난 서영이
좀 보러 갈게."

주희도 자리에서 일어나 병실을 떠났다. 전처럼
따뜻한 눈빛은 온데간데없었다. 아니, 나에게 눈길조차
안 줬다.

자유시간이 되고 옥상 위로 올라가 봤지만 서영이와
주희는 여전히 보이지 않았다. 둘이 떠난다고 해서
외롭거나 서운한 건 아니다. 다만 이 병원에서 가장
정상적인 사람이 아이들이고 내가 잘못한 게 무엇인지
궁금했다. 하지만 이를 해결하기 위해 어디에
물어봐야 할지, 뭘 생각해야 할지 몰랐다. 이렇게
된다면 나는 곧 다른 병실로 쫓겨날 거다. 미친
사람들과 같이 시간을 보내겠지. 나도 그곳에서
미쳐가겠지….

"무, 무슨 생각 해…?"

찬비 언니였다. 갑자기 나타난 언니의 헐레벌떡
정신을 차렸다. 당황스러웠지만 침착하게 말을 이었다.

"언니, 어쩐 일이에요? 옥상은 잘 안 올라오잖아요."

"아, 그치⋯. 원래는 무서워서 잘, 잘 못 올라오는데 애, 애들이 하도 올라오자고 부탁해서 크, 큰 마음먹고 올라왔어⋯."

"대단하네요."

사람 많은 곳은 항상 피해 다니던 찬비 언니가 애들의 재촉으로 자신감을 얻었다는 게 신기했다. 어떻게 그런 용기가 났는지 궁금해지기도 했다.

"근데⋯걱정거리 있어? 표정이, 많이 안 좋아 보여⋯."

"⋯티 많이 나요?"

"아니, 별로⋯미안"

왠지 부끄러운 마음에 얼굴을 가렸다. 찬비 언니는 아무 말 없이 내가 말하기를 기다려줬다.

"사실은, 애들이랑 사이가 안 좋아졌어요."

"⋯"

나는 전에 있었던 일을 찬비 언니께 모두 털어놨다. 언니가 아직은 믿음직스럽지 않아 얘기하는 내내 불편했다. 하지만 이 병원 안에 믿을 사람은 마땅히 없기에 찬비 언니라도 의지해야 됐다.

"직접 목격, 하지 않아서 잘 모르겠지만⋯내 생각에는, 누구의 잘못도 없는 거 같아⋯. 생각 차이로 갈등이, 일어난 거 아닐까⋯?"

마음이 한시름 놓였다. 찬비 언니도 내 잘못이
없다고 생각했다. 조금 더 가벼워진 마음으로 문제를
풀어갈 수 있었다.

"그럼 생각 차이는 어떻게 해결할 수 있을까요?"

"…이런 말 들으면 안 좋게, 생각할 수도
있겠지만…."

언니가 잠시 뜸 들였다.

"누군가…한 명이 져주는 수밖에 없어…."

 언니의 말이 의아스러웠다. 져준다는 게 무슨
뜻이지? 정말 게임에서 진 것처럼 패배를 인정하라는
건가? 누가 지고 누가 이겼는데?

 궁금한 내 마음을 아는지 언니는 말을 이어나갔다.
어떤 용기 때문인지 긴 문장도 술술 얘기했다.

"내가…어렸을 때부터 부모님한테 잘 보이려고,
바이올린 외에 다양한 걸 시도했어…. 발레, 태권도,
요리도 해봤지만…재능은 보이지 않았어…. 그런데
부모님이 어쩌다 한 번씩, 내게 잘한다고 칭찬해 줄
때가 있었어…신기하지? 누가 봐도 실력이 부족한
아이에게…희망을 심어주는 거"

 나는 언니의 말에 동조하며 몸을 기웃거렸다.

"근데…어린 나한테는 그런 관심이 도움 됐어…. 계속
잘한다고 칭찬해 주면…더 열심히 노력했거든. 그때
내가 못한다고 구박받았으면…더 이상 아무것도, 하기

싫었을 거야. 그 일을 해봤자, 관심을 안 줄게
뻔하니까…."

"……."

"**친구**관계도…마찬가지 아닐까? 아직, 친해지는
단계니 서로의 의견이 마음에 안 들어도 이해하고
지지해 줘야 할 거 같아…. 물론, 네 생각과 달라서
싫겠지만…**친구**는 너와 친해지고 싶어서 용기를
냈잖아. 너도 어느 정도 그 보답을 해주는 게 좋지
않을까?"

애들과 지내던 내 모습이 떠올랐다. 나는 항상 내
주장만 내세웠다. 다른 아이들은 다 틀렸다며 내
의견에만 집착했다. 그때마다 애들이 내 말에 동의해
줬다. 자신들은 의견을 제시하지도 않았다. 어차피 내
주장을 따라야 했다.

모두 내 탓이다. 아이들을 배려하지도 않은 채 나만
생각하는 이기주의자다.

밀려오는 후회감과 미안함이 겹쳐 고개를 들 수
없었다. 찬비 언니가 조용히 내 등을 토닥여주었다.
달라지는 건 없었다.

누가 봐도 내 잘못이 컸다. 여태껏 잘못한 게 있는지
모르고 지내온 게 이상하리만큼. 애들은 참느라
지치고 또 지쳤을 거다.

"…. 애들은 왜 저를 친구로 생각했을까요. 도움 되는
사람도 아니고, 같이 있어봤다 짜증 나는 사람인데…."

"그건, 나도 잘 모르겠어…. 일단 네 진심을 담아서 사과한 다음에, 천천히 그 이유를 물어보는 게 어떨까…?"

"음…알겠어요"

나는 굳게 마음을 먹었다. 언니도 나를 응원하는 듯 내 손을 잡았다.

여태 저질렀던 만행을 한순간에 사과로 해결되진 않겠지만, 내 진심을 애들에게 전하기로 결정했다.

자유시간이 끝날 때까지 여유가 좀 남아 병원 이곳저곳을 둘러봤다. 여전히 둘은 보이지 않았다. 이 넓은 곳에서 애들을 찾기란 버거웠다.

시간이 꽤 지났다. 잠시 쉬어갈 겸 산책로 벤치에 앉아 숨을 골랐다. 내 얼굴은 이미 땀범벅이 되어있었다. 바람이 부는 쪽을 향해 얼굴을 내비쳤다. 부드러운 바람 소리를 깨고 사람이 울먹거리는 소리가 들려왔다. 놀라서 그곳을 쳐다보니 서영이와 주희가 벤치에 나란히 앉아있었다. 우리의 간격은 3미터 채 되지 않았다.

마음 같아선 당장이라도 달려가 애들에게 용서를 빌고 싶었지만 몸이 안 움직였다. 사과를 해본 경험도 없고, 애들 앞에 설 용기가 안 났다. 그렇기에 더욱 망설여졌다.

찬비 언니의 말이 머리 위로 떠올랐다. 상처받았을
애들을 생각하며 속으로 '할 수 있다'를 여러 번
외쳤다. 깊게 숨을 들어마시고 자리에서 일어났다.
의자에서 일어나니 그제야 아이들도 나를 발견했다.
점점 다가오는 나를 뒤로하고 서로의 귀에 대고
속닥거렸다.

어느새 애들 앞에 도착했다. 아이들은 삐진 듯
팔짱을 끼고 다른 곳을 응시하고 있었다. 나는
이기적이지만 굴하지 않고 생각했던 멘트만 내뱉었다.
"얘들아…너희가 병실 나간 뒤부터 곰곰이 생각해
봤어. 내가 뭘 그렇게 잘못했는지, 처음에는 잘
몰랐지만 이제는 알게 됐어. 내가 너무 내 의견만
내세우고 너희들 말은 죄다 무시했었어. 또 너희들은
나와 친해지려고 많이 노력해 줬는데 내가 낯을 많이
가려서 일부러 너희와 거리를 두려고 한 거 같아.
정말 미안해. 너희들 의견도 존중해 주고 이해해 줘야
하는데 내 생각이 너무 짧았어. 이런 사과로 완전히
용서할 수는 없겠지만 내가 반성하고 있다는 걸
알아줬으면 해"

없는 자존심까지 탈탈 털었다. 얼마나 절실했는지
무더운 날 반바지 차림으로 무릎을 꿇었다. 그만큼
애들에게 미안했다.

애들은 날 보며 미소를 지었다. 서영이가 손을 잡아
내 몸을 일으켜 세웠다.

"뭐, 반성하고 있다니까 안 받아줄 이유는 없겠지?"

눈치를 살핀 주희가 고개를 끄덕였다.

"반성하고 있다는 게 중요한 거잖아"

그제야 나는 웃을 수 있었다.

짧다면 짧은 사과였지만 너그럽게 나를 이해해 주는 아이들이 너무 고마웠다. 나라면 절대 사과를 받아주지 않았을 거다.

긴장이 풀림과 동시에 다리에 힘이 빠져 바닥에 주저앉았다. 다행스러운 마음에 눈물도 나왔다.

애들이 뭘 또 우냐며 장난쳤지만 얼마 안 가 모두 울고 있었다. 그만큼 옷이 축축하게 젖어갔다. 상관없었다.

유치할지라도 눈물겨운 우리의 화해였다.

나의 첫 친구에게

 내 사과를 시작으로 우리의 사이가 더욱 돈독해졌다. 이제는 말 한마디도 조심스럽게 하며 애들을 배려하기 위해 노력하고 있다. 아이들이 내가 많이 변했다고 말할 때마다 다행이라 생각했다.

 여느 때처럼 병원에서 주는 아침밥을 먹었다. 먼저 얘기를 꺼낸 건 서영이었다.
 "얘들아, 이번 주 토요일이 무슨 날인지 알아?"
 들뜬 목소리였다. 서영이가 눈썹을 치켜세우며 우리를 번갈아 쳐다봤다.
 나는 달력을 확인하였다.

7월 22일. 이날이 직감적으로 서영이의 생일이라는 걸 알 수 있었다. 그렇지 않고서야 서영이가 저렇게 기뻐할 리가 없었다.

"근데 병원에 있어서 선물은…어떡하지?"

"에이, 난 선물 필요 없어~ 엄마가 금요일에 케이크 가지고 온다 했으니까 같이 케이크나 먹자!"

서영이는 벌써부터 생일을 기다리며 들떠있었다. 그런 서영이를 바라보니 나도 덩달아 기분이 좋아졌다.

가족이 아닌 다른 사람의 생일을 축하하게 되는 건 이번이 처음이었다. 저번에 갈등도 있었기에 내가 서영이의 생일을 같이 보내도 되는지 많이 걱정됐다. 그만큼 내가 의미 있는 사람인지, 좋은 사람인지도 의문이었다. 하지만 이번 일을 기회 삼아 애들과 더욱 친해지고 싶었다. 얘네는 내 '**첫 친구들**'이니까.

처음에는 부정했다. 나 따위가 애들과 친구가 될 수 있을지 걱정도 됐다. 그때마다 서영이는 항상 '친구가 뭐 대단한 건가? 그냥 같이 있으면 즐겁고 편하니까 친구인 거지. 꼭 어떠한 조건이 있는 건 아니잖아'라고 내게 말해줬다. 그 말이 서영이에겐 별생각 없이 뱉은 말이더라도 나에겐 큰 감동을 주었다. 이익을 추구해서 만나는 사이가 아니라, 같이 있으면 행복하기에 만난 사람이 있다는 자체가 너무 좋았다. 나는 그런 서영이와 주희에게 보답하고 싶다. 여태

나를 위해 노력했던 것을 이젠 친구들을 위해
노력하기로 마음먹었다.

 어느덧 서영이의 생일 당일이 찾아왔다.
 케이크를 든 채 가벼운 발걸음으로 걸어보는
서영이는 보기만 해도 신이 난 상태라는 걸 단번에
알아챌 수 있었다.
 "짜잔~ 맛있겠지? 우리 엄마가 직접 만들어준
케이크야"
 케이크에 '서영아, 생일 축하해!'라는 문구가 크게
적혀있고 그 주위를 달콤한 초코크림이 감싸고
있었다. 시트에는 작은 초코 토핑들이 사이사이에
박혀있었다. 서영이 어머님의 솜씨에 감탄할 수밖에
없었다.

 저녁을 먹고 나니 병동에 있던 사람들이 모이기
시작했다. 평소엔 참 깐깐하게 굴던 간호사들도
오늘만큼은 모든 부탁을 흔쾌히 허락해 주었다. 혹시
모를 상황을 대비해 환자들을 지켜보려 병실에 왔다고
말했지만, 누구보다 열심히 서영이의 생일을 축하했다.
 준비해 둔 풍선을 벽에 붙이고 직접 만든 고깔모자를
쓰니 얼추 파티 분위기가 완성되었다. 아쉽게도 초에
불은 못 붙였지만 서영이는 힘차게 생일 축하 노래를

불렀다. 서영이를 향한 박수와 함성 소리도 들렸다. 나도 그들 사이에 끼어 박수를 쳤다.

많은 인원이 먹기에 힘들어 보이는 초코 케이크를 작은 숟가락으로 퍼먹었다. 앉아있기에도 좁은 바닥 위에서 사람들이 신명 나게 춤을 췄다. 밤이 깊어지는 와중 커지는 웃음소리가 꽤 거슬렸다.

하지만 짜증 나지 않았다. 그렇다고 즐겁지도 않았다.

…. 부러웠다.
이 상황
이 순간
모든 것들이 전부

내게 지금껏 생일 파티라고 할 순간은 단 한 번도 없었다. 항상 부모님이 바쁘고 힘든 관계로 제대로 된 생일 선물조차 받아보지 못했다. 그래도 부모님이 열심히 일하니까 충분히 그럴 수 있다고 생각했다. 하지만 내가 기대에 차있을 때마다 부모님은 '생일을 뭐 하러 축하해? 태어난 날인데 부모님한테 감사하면서 살아야지'라며 본인들끼리 의견을 맞췄다. 분명 부모님끼리 나누는 얘기였지만 내가 옆에 있을 때면 유독 목소리를 높였다. 나는 부모님 눈치를 살피며 생일 선물은 필요 없다고 할 수밖에 없었다.

그래서 서영이가 부럽다.

나도 생일 파티를 하고 싶다.

나도 생일 선물을 받고 싶다.

나도 평범한 아이에 불과하다.

그렇지만 부모님이 많은 것을 통제했고 나는 그 지시에 따라야 했다. 부모님은 너무 로봇 같았다. 내가 잘한 일이 있을 때만 나를 칭찬해 주고 사랑해 주었으니 말이다. 대회에서 상을 받고 온 날에는 나를 꽉 안아줬고, 무릎이 까진 채 돌아오는 날에는 달랑 밴드만 던져줬다. 몹시 가혹했다. 어렸을 때부터 잘한 일만 칭찬해 주고 못한 일은 미움받는 인생을 당연하게 여겼다. 내가 그리도 완벽을 추구한 이유였다.

하지만 여기는 다르다.

나에게 뭔가를 바라지 않는다.

그렇다고 뭔가를 시키는 건 아니다.

그냥. 하루하루를 행복하게 살도록 도와준다.

그 이유가 돈 때문이라는 것을 잠시 잊어버리고 싶었다. 지친 현실을 잠시 외면했으면 좋겠다. 한 번 즘은 사람들에게 기대어 쉬어가고 싶다.

그런 기회를 준 곳이 이 정신병원이다.

여기엔 형편없는 나를 유일하게 반겨주는 사람들이 있다. 각자 다른 색을 가진 사람들이지만 모두 같은 생각으로 이곳에 모였다. 꼭 행복해지고 싶었다. 사회에서 인정받지 못한 분함을 풀고 싶다. 나뿐만

아니라 병원에 있는 모두가 그렇게 생각했다. 우리는
비슷하기에 서로가 서로를 더더욱 잘 알았다.
　이곳에 있으면 나도 하나의 사람으로서 존중받았다.
아무 노력을 하지 않아도 내 자리는 그대로다. 미친
사람들처럼 보이더라도 누구보다 배려심 넘치고
평범하게 살기 위해 힘쓰는 사람들이다.
　그래서 내 생일을 이곳에서 보내고 싶다.
　아무 대가 없이
　서로 존중하기에,
　서로 이해하기에,
　서로 사랑하기에,
　힘들었던 과거를 까마득하게 잊어버릴 정도로
자유롭고 행복해질 수 있었다. 강박감을 버리고
나태하게 굴어도 아무도 나를 구박하지 않는다.
가끔은 괴로울 때도 있지만 예전에 비하면 너무나
편한 일상을 보내고 있다. 천국 같았다.

　한참 재밌던 시간이 지나자 그들이 떠난 자리에
아쉬움이 자리 잡았다. 나도 꽤 여운이 남았지만
다음번에 또 이런 기회가 있을 거라 믿기에 실망하지
않았다. 시끄러운 파티를 기대하는 내가 조금
낯설더라도 전부 적응해가는 과정 중 하나라고
생각했다.

주희는 얼마나 열심히 놀았는지 기운이 빠져 침대 위에 뻗어버렸다. 잠이 든 모양이다. 서영이도 나처럼 아쉬움이 남았는지 오늘 찍은 사진들을 다시 확인하였다. 나는 지금 이 시간을 계기로 서영이를 더 알아가 보고 싶었다. 내가 마음을 열 수 있게 도와준 서영이가 어떤 아이인지 더 궁금했다.

조용히 침대로 가니 서영이는 옆으로 자리를 옮겨 내가 앉을 곳을 마련해 주었다. 나한테 사진 한 장을 보여주며 흐뭇한 표정을 지었다.

"오늘 찍은 사진이야. 잘 나왔지? 여기 너도 있다 ㅋㅋ"

사진 속에는 어딘가 어색해 보이는 얼굴로 웃고 있는 내가 보였다. 지금 보니 내 표정이 조금은 바보 같고 웃겼다.

"아직은 이런 상황이 좀 어색한 거 같아"

서영이가 내 이야기에 눈을 반짝였다. 나는 오해할까 봐 양손을 힘껏 흔들었다.

"그렇다고 이런 상황이 싫다는 건 아니야. 난 내가 시끄럽고 유치한 상황을 안 좋아하는 줄 알았어. 알고 보니 난 그런 상황을 질투하고 있더라고. 사람들한테 아무 이유 없이 사랑받아본 적이 없거든. 부모님은 잘했을 때만 나를 좋아하고 동급생들은 내가 재수 없다고 싫어했어. 근데, 여기 사람들은 다르더라. 모두 나 자체를 좋아해 줬어. 처음에는 사람들이 나를 갖고

노는 줄 알았어. 하지만 이제 점차 사람들의 마음을
알 거 같아. 아직은 어색하지만 나도 최선을 다해서
너희에게 내 마음을 전달하고 싶어"

"…고마워"

서영이는 긴 시간 동안 나를 끌어안아줬다. 조금은
당황했지만 이런 상황이 싫지는 않았다. 서영이의
포옹은 정말 따뜻했다. 엄마의 포옹처럼 포근한
느낌도 들었다. 정말 나를 좋아하고 소중하게 여기는
거 같았다. 포옹이 주는 착각은 아니다. 그저
서영이에게 느끼는 내 감정이다.

"나도 네가 많이 노력하는 거 알고 있어. 낯선
상황에도 맞서려고 하는 모습도 잘 보여. 그래서 너무
고마워. 너도 나와 좋은 사이를 유지하려고
노력하는데 못 알아채서 미안해. 앞으로는 내가 너를
더 이해해 줄게. 힘든 얘기도 마음껏 털어놓을 수 있는
믿을 수 있는 좋은 친구가 되도록 노력할게. 그러니까
우리 서로 미운 모습을 보여도 최선을 다해 노력하고
있다는 걸 명심하자"

처음이었다. 서영이가 이렇게 진지하게 얘기하는
모습이 신기했다. 항상 장난기 많던 서영이의 새로운
면도 나에겐 반가웠다. 누구에게는 오글거리고
유치하게 들릴지라도 내게는 정말 감명 깊은
말이었다. 이로써 우리의 사이가 조금은 더 끈끈하고
단단해진 거 같았다.

"저기, 나 한 가지만 물어봐도 돼?"

나는 이 기세를 틈타 궁금했던 것을 물어보았다.

"뭔데?"

"우리 셋이 처음 만난 날, 기억나?"

서영이는 그때를 어떻게 잊어버리냐는 듯 고개를 열정적으로 끄덕였다. 회상에 잠겨 헤벌쭉 웃는 모습에 내 표정은 굳어갔다. 서영이도 심각성을 어느 정도 눈치챘는지 입꼬리를 내렸다.

"여기 어떤 이유로 왔는지 물었을 때 우리 둘 다 두리뭉실하게 대답하고 넘어갔잖아. 물론 내가 질문했지만…. 아무튼, 이제는 너랑 얘기해 보고 싶어. 네가 무슨 이유로 여기에 오게 됐는지 궁금해"

어색한 정적이 한참 동안 오갔다. 순간 아차 싶은 생각이 머릿속을 스쳐 지나갔다. 아직은 이런 얘기를 털어놓을 정도로 가까운 사이는 아닌 모양이다. 얼마나 아픈 과거이기에 이리도 말을 못 할까? 적막함이 지속될수록 내 호기심은 점점 깊어졌다.

서영이의 상태는 뭔가 불안해 보였다. 입은 떨어질 기미가 안 보이고 몸은 얼음처럼 경직되고 동공만 이리저리 움직이고 있었다.

무리한 요구로 어쩔 줄 모르는 서영이를 보니 마음이 불편했다. 괜스레 죄책감이 들어 혼잣말을 중얼거렸다.

어휴, 이 바보. 또 자기가 하고 싶은 대로만 행동하고 남은 배려하지도 못하잖아.

나는 서영이의 부담감을 조금이나마 덜어주려고
억지웃음을 지으며 머리를 쓸어넘겼다. 지금 이
상황에서 할만한 행동은 아니었으나 답답한 분위기를
벗어나고 싶었다. 계속 이대로만 있으면 앞으로 일이
계속 꼬일 것만 같았다.

　"미안해. 당황스럽지? 난 그냥 단지, 어, 그러니까.
그게…음."

　뭐라도 변명하고 싶었지만 긴장한 탓인지 말도
꼬여버렸다. 망했다는 생각만 머릿속을 맴돌았다. 정말
최악의 상황이다.

　서영이는 표정 변화 하나 없이 나를 응시했다. 눈을
마주쳤을 때 오는 불안감은 말로 설명할 수가 없었다.
귀신을 본 것처럼 온몸이 부들부들 떨렸다.

　"사실"

　순간 흠칫했다. 예상치 못하게 서영이가 입을 뗐다.
원래라면 무슨 말을 할지 궁금하겠지만 지금은
서영이가 말하는 게 침묵하는 것보다 긴장되었다.
그래도 이왕 이렇게 된 거, 무슨 이야기를 하는지
들어보기로 했다.

　"난 중학교에 들어온 뒤부터 친구가 한 명도 없었어.
모든 애들이 내가 화려하게 꾸미고 눈에 띄게
행동한다고 싫어했거든. 걔네들 마음도 어느 정도는
이해가 됐지…. 날 따돌렸던 것만 빼면."

　"…"

"반 단체방에 나는 없었고 체험학습을 갈 때면 나는
항상 혼자였어. 너무 고통스럽고 치욕스러웠는데도,
나를 사랑해 주는 부모님이 있기에 버틸 수 있었어.
부모님을 힘드게 하긴 싫어서 학교에서 무슨 일이
있는지 말도 안 꺼냈어. 근데, 계속 버티기만 하니까
너무 힘들더라. 결국 죽으려고 시도도 해보고 학교도
그만뒀어. 그래서 병원까지 입원했는데 아직도 불안해.
이제 나를 괴롭게 만드는 사람은 없는데 자꾸 옆에서
누가 날 쳐다보는 거 같고 놀리는 거 같아서 무서워"
　막상 얘기를 듣고 나니 무슨 행동을 보여야 할지
감이 안 잡혔다. 밝고 쾌활해 보이던 서영이의 과거가
나를 숙연하게 만들었다. 그 말에 공감해 주는 것도,
위로해 주는 것도 옳지 않았다. 그렇다고 가만히 있는
것도 맞지 않은 반응 같았다.
　어정쩡한 나와는 다르게 서영이는 한결 편안해
보였다. 지금껏 그 많은 일을 혼자서 버텨왔다.
누구한테 기대기엔 질척거리는 거 같아서 싫고, 혼자
지내기엔 너무 고통스러웠을 것이다. 그 마음만큼은
나와 닮았다.
"힘든 상황 속에서 내가 의지할 수 있던 사람은
너희들뿐이야. 그래서 더욱 이런 얘기를 꺼내는 게
두려웠어. 소중한 너희들이기에 잃고 싶지 않았어"

이제는 서영이의 마음을 알 거 같다. 그토록
우리에게 잘해주는 이유, 우리를 소중히 여기는 이유.
서영이에게 우리는 유일한 행복이다.

나는 서영이의 손을 잡았다. 그 손은 무척
차가웠지만 내가 따뜻하게 만들어줬다.

"용기 내줘서 고마워. 너에게 그런 아픈 과거가 있을
줄은 몰랐는데, 솔직히 무슨 말을 해야 될지 모르겠어.
그래도 네가 한 선택이 현명하다는 건 확실하게 알아.
죽음을 택했으면 부모님은 더욱더 너를 걱정했을
거야"

"…그건 맞아"

진심을 담아 서영이를 안았다. 갑작스러운 내 행동에
서영이가 당황한 듯 보였다. 나도 당황스러웠다. 내
몸이 본능적으로 행동한 것이다. 하지만 나쁘지는
않았다. 오히려 행복했다.

이 시간을 이용해 내 과거에 대한 얘기도 스스럼없이
털어놓을 수 있었다. 누군가에게 말하기에는 부끄러운
내 모습이지만 이런 나도 소중히 여겨주는 사람을
찾았다. 그저 스쳐 지나갈 인연일지라도 나는
확신했다. 우리 사이가 계속될 것을.

"이렇게 솔직하게 얘기하니까 마음이 후련하다. 너도
네 속사정 얘기하기까지 정말 힘들었을 텐데, 정말
고마워"

"나도 고마워. 그리고 너무 걱정 마. 네가 어떤
모습이든 나는 너 자체를 좋아해. 너를 떠날 일은
없을 테니까 안심해도 돼. 서로 아픈 과거는
존재하지만 우리가 함께 지워가자"

　이 대화를 끝으로 잠에 들었지만, 여전히 서영이의
모습이 영화의 한 장면처럼 생생히 느껴졌다. 조금에
어색한 공기는 남아있었지만 끈끈한 우정이 우리를
이어주었다.
　친구라는 별거 없는 관계 일지라도 소중한 것을
나누고 싶었다. 이제 무슨 일이 있든 애들과 함께라면
뭐든 해낼 수 있을 것만 같다. 원래 친구란 이런
관계인 걸까? 이 우정이 언제까지 지속될지 궁금하다.

좋은 취미

 그 일이 있고 난 뒤로 우리는 몰라보게 사이가
좋아졌다. 이 사실을 주희에게 말하니 왜 자신은 안
깨웠냐며 서운한 마음을 내세웠다. 가식적인
공감보다는 소소한 장난이 우리에겐 좋은 대응이었다.

 오랜만에 만난 엄마는 부쩍 피곤해 보였다. 핏기
없는 얼굴과 눈 밑을 덮은 다크서클이 그 증표였다.
회사 일이 많다며 별일 아니라는 엄마였지만,
힘들어하는 모습을 보니 걱정이 안 들래야 안 들 수가
없었다.
 "참, 지현아. 다음 주 수요일 날 서점 갈래?"

그 말에 입에 있던 오렌지 주스가 밖으로 흘러내렸다. 나는 놀란 채 엄마의 얼굴을 쳐다봤다.

"갑자기 웬 외출이야…? 아니 그보다, 병원 측에서 허락을 해준대?"

"응. 우리 지현이 상태가 많이 호전됐다고 하더라. 아빠도 지현이 만나보고 싶대. 네가 좋아하는 작가님이 달에 가고픈 토끼 5탄도 출판했더라. 나가서 소설책도 사고 지현이가 좋아하는 문제집도 사러 가자"

"아…정말? 너무 좋다"

가장 신경 쓰이는 건 아빠가 나를 만나고 싶다는 얘기였다. 기분은 좋았다. 병원에 입원한 뒤로는 아빠를 한 번도 만나본 적이 없었으니까 말이다. 하지만 그렇기에 두렵기도 했다.

아빠는 유명한 정형외과 의사였는데 건강이 악화되어 결국 퇴직하게 되었다. 내가 의사라는 꿈을 가지게 된 것도 아빠의 영향이 컸다.

그런데 아빠는 내가 병원에 입원한 뒤로 연락이 두절됐다. 내게 얼굴 한 번 비쳐주지 않았다. 불안했다.

아빠는 내가 정신병을 앓아 실망했기에 병원에 찾아오지 않는 것이라 추측했다. 나는 아빠의 기대를 저버렸다. 이런 내가 의사가 될 수는 있긴 한 걸까? 정작 내가 어디가 아픈지도 제대로 모르는데….

그렇기에 공부를 더 열심히 해야 됐다. 비록 강박성
성격장애라는 병을 가지고 있어도 꿋꿋이 노력해서
성공한 의사가 돼야 한다.

…하지만, 이제는 불가능일지도 모른다.
요즘은 공부가 도저히 손에 잡히질 않는다. 공부에
대한 집념도 줄어들었다.
예전이라면 엄마의 질문에 어떤 문제집을 살지
고민했지만 지금은 '좋아하는 문제집'이라는 말에
가슴이 먹먹해졌다. 나도 내가 왜 이렇게 변했는지
모르겠다.
하지만 공부에 집착을 안 하게 되니 내 정신 상태가
많이 호전되었다고 의사께 들었다. 의사 말이 맞다.
공부 스트레스를 덜 받으니 나를 해지는 일이
드물어졌다. 하루하루가 즐거웠다. 이 모든 건 애들로
인해 변화한 일이다.
아이들과 같이 시간을 보낼 때면 모든 것들이 사라진
기분이다. 이 세상에 우리만 존재하는 거 같았다.
그래서 행복했다. 얘네들과 있으면 모든 걱정을 잊고
즐거운 일만 겪을 수 있었다.
하지만 이로 인해 내 판단력은 점차 흐려졌다. 해야
할 일을 미루게 되고 여러 문제들은 '어떻게든
되겠지'라는 마인드로 손도 대지 않았다. 지금 나는
예전과 달리 나태한 모습이었다.

모든 것이 원망스럽다. 친구들이 짜증 났다. 부모님의
기대도 짜증 났다. 무엇보다 나태한 모습의 내가 가장
미웠다. 여태 이루고 싶은 목표가 있음에도 노력 안
하는 내가 정말 한심하다. 그토록 중요시하던 공부를
고작 친구들 때문에 안 했던 걸까? 나조차 답을
모르니 답답할 따름이었다.
 이제 나는 어떻게 해야 되지. 의사는 될 수 있을까?
의사를 준비하고 있는 사람들은 내가 고민하는 이
시간에도 공부하겠지.

 현실을 자각하게 되니 잊고 있던 걱정들이 몰려왔다.
숨이 거칠어지고 손톱을 물어뜯었다. 다시 불안
증세가 나타나기 시작했다.
 마침 주희가 병실로 들어와 내 행동을 말렸다.
주희를 보자 슬프고 짜증 나는 감정이 복받쳐 올랐다.
눈에는 눈물이 글썽였지만 차분히 주희에게 상황
설명을 했다.
 "너무 힘들고 지치다 보면 그럴 때도 있는 거지. 이럴
때는 오히려 더 열심히 하면 안 되는 거야. 푹 쉬면서
마음이 안정돼야 다시 맑은 정신으로 시작할 수 있어"
 "정말 그럴까…. 이미 다른 사람보다 늦은 거 같아.
지금부터라도 시작해야 되지 않을까…?"
 "괜찮아. 양보다는 질이 더 중요한 거지. 아무리 공부
많이 해도 정확히 안 배우면 소용없다?"

주희가 내 손을 잡고 몸을 일으켰다.

"가자. 이제부터 새로운 취미를 찾아보는 거야. 그래야 스트레스 해소도 되고 자기 계발에도 도움이 되지. 공부나 책 읽는 거 말고, 또 해보고 싶은 건 없어?"

한참을 고민해 봤지만 막상 떠오르는 생각은 없었다. 평소 공부에만 시간을 투자했기 때문인 것 같다. 주희는 그런 내가 못마땅했는지 나를 어디론가 이끌었다.

"뭐해? 어디 가는 건데?"

"취미 찾으려고. 환자들한테 취미 좀 물어보자. 그래야 여러 취미를 경험해 볼 수 있지"

말만 들어도 얼마나 귀찮은 일을 해야 할지 예상됐다. 내가 듣기엔 그냥 시간 낭비 같았지만 주희는 한껏 들떠있었다. 뭐, 여러 일을 경험해 보면 내 소질도 알아낼 수 있을 테니 쓸모없는 일은 아니다. 어차피 공부 말고는 할 것도 없기에 주희 말을 순순히 따랐다.

첫 번째 후보는 '운동'이다. 운동은 나와 거리가 좀 멀지만 건강을 위해서라면 좋은 취미가 될 거 같다. 평소에는 의자에만 앉아있어서 그런지 허리가 뻐근했다. 운동을 하면 몸이 개운하고 활기가 생기지 않을까?

그렇지만 병원에는 운동기구조차 없었다. 위험해서 모두 설치하지 않은 모양이었다. 우리는 어쩔 수 없이 병원 주위를 가볍게 뛰어다니거나, 인터넷에서 홈트레이닝 영상을 알아보았다.

효과는…없었다. 오히려 기력이 더욱 빠졌다. 처음 해보는 운동으로 체력이 부족했고 주희만큼 빠른 스피드를 내지도 못했다. 그도 그럴 것이 예전부터 발목이 아파서 학교 체육시간이면 매번 의자에 앉아 책을 봐야 했다. 머리는 잘 돌아가지만 따라주지 않는 몸 때문에 순발력 퀴즈 같은 대회에 참가해 볼 수도 없었다.

'운동하기'

노트에 적어놨던 취미 목록 중, '운동하기'를 지웠다. 운동을 취미로 삼으면 정말 좋을 거 같았는데, 나랑은 잘 안 맞아서 아쉬웠다. 하지만 아직도 수십 개에 취미 후보가 남아있으니 다행이다.

두 번째 후보는 '그림'이다. 그렇게 쓸모 있는 취미일지는 모르겠지만 손으로 하는 거니 쉬울 거 같은 느낌이 들었다. 우리에겐 도구가 없어 옆 병실을 쓰고 있는 '무하각'아주머니께 여러 물품을 구했다.

무하각 아주머니는 화가다. 지금은 양극성장애 판정을 받아 병원 신세를 지게 됐지만 말이다. 갤러리도 운영하고 TV에 출연한 적도 종종 있었는데

그리 유명하진 않다고 했다. 그렇다고 아주머니의
그림 실력이 형편없는 건 아니었다. 주로 해바라기
그림을 그린다. 다 그린 그림 위에 큐빅을 붙여야
작품이 완성되었다.

"큐빅을 붙이는 이유는 뭔가요?"

"그냥, 나만의 표현법이야. 예술의 세계에서
살아남으려면 남들보다 눈에 띄는 점이 있어야
하거든. 사람들을 확 사로잡아야 해"

아주머니는 흥분하며 자신이 그린 그림들을
보여줬다. 무하각 아주머니의 말처럼 반짝거리는
큐빅이 내 시선을 사로잡았다. 이런 멋진 작품을 나도
그려보고 싶었다.

침대에 앉아 이젤 위에 캔버스를 올려놓았다. 붓에
물감을 묻히고 캔버스에 붓질을 했다. 그런데 막상
그림을 그리려고 하니 무엇을 그려야 할지 감이
잡히질 않았다. 생각나는 아이디어가 없다.

일단 하각 아주머니처럼 해바라기를 그렸다.
아주머니의 그림을 완벽하게 따라 그렸지만 왠지 저
작품만큼 눈에 띄지 않았다. 분명 같은 모양, 같은
색깔, 같은 방법으로 그렸는데 말이다.

그럼에도 주희는 잘 그렸다며 내 그림을 좋게 바라봐
줬다. 무하각 아주머니도 웃으며 박수를 쳤다. 내
실력이 꽤 괜찮다는 뜻인가? 내심, 기분이 좋았다.

"모작은 잘하는데?? 따라 그리는 재능은 있네"

생기 없던 내 얼굴이 무척 밝아졌다. 벌써 나와 맞는 취미를 찾아 신이 났다.

아주머니는 웃음기를 빼더니 나를 빤히 쳐다보고는

"근데"

라는 말을 덧붙였다.

"무조건 똑같이 그린다고 잘 그리는 건 아니야"

"…네?"

그 말에 놀라 아주머니를 쳐다보았다. 내 그림 실력이 별로인 걸까? 아까는 재능 있다고 칭찬하더니 갑자기 말을 바꿔 어이없었다.

"예술은 말이야. 창작하는 일이야. 자신만에 작품을 만들고 그 개성을 잘 살려내는 사람이 진짜 대단한 예술인이지"

조금 황당했다. 그럼, 오로지 개성 있는 그림을 그리는 사람만이 대단한 화가인 건가? 살아있는 것처럼 생생하게 묘사한 것도 잘 그린 그림이지 않는가? 나를 위한 조언일지라도 무하각 아주머니의 말이 나에겐 따갑기만 했다.

아주머니의 말이 사실이라면 나는 그림에 소질이 없다. 뭔가를 똑같이 그리는 건 꽤 잘한다 쳐도, 창작하는 것은 내게 너무나도 어려웠다.

…하긴, 따라 그리는 것만으로 성공한 화가가 되기란 쉽지 않을 거다. 사람들은 눈길을 확 사로잡을만한 독특한 그림을 더 좋아할 것이다.

'그림 그리기'

이번에도 목록 중 한 가지를 지우게 됐다. 점점 취미 후보들이 줄어들었다. 그럴 때마다 내 가슴이 조여왔다.

이 외에도 '뜨개질, 명상하기, 노래하기, 발레…'와 같은 여러 후보들이 있었지만 내 소질이 보일 만큼 잘할 수 있는 취미는 없었다. 이제 남은 후보는 겨우 3가지였다. 마음이 많이 초조했다. 나에게 맞는 취미가 있을지 걱정되었다. 불안한 마음을 스스로 달래며 빌었다.

'제발…저에게 소질 있는 취미가 생기게 해주세요'

주희는 내 손을 가볍게 잡아줬다. 손등을 쓰다듬으면서 걱정하지 말라며 내게 위안을 심어주었다.

"나에게 잘 맞는 취미가 있을까…"

"당연하지~ 누구에게나 적성은 있어. 아직 찾지 못했을 뿐이야"

나는 주희를 바라보며 웃음을 지었다. 불안한 심정이었지만 주희가 같이 있기에 조금은 안심됐다.

"지현아"

주희는 진지하게 내게 제안했다.

"지금부턴 가벼운 마음으로 취미를 찾아보는 거 어때?"

"…? 그게 무슨 의미야?"

주희의 말이 이해되지 않았다. 지금껏 잘해왔는데 갑자기 가볍게 하자고 그러니 당황스러웠다.

"취미는 즐거우려고 하는 일이잖아. 근데 너는 지금 네가 잘할 수 있는 일, 재능을 보이는 일만 찾고 있는 거 같아. 너의 적성에 맞는 취미도 중요하지만 너의 흥미를 자극하는 취미를 찾는 게 더 중요해"

내 모습을 되돌아봤다.

운동은 내 체력과 운동신경이 부족해서 그만뒀다.

그림은 창작하는 능력이 없어서 그만뒀다.

뜨개질도, 명상도, 노래도, 발레도…. 이 중 어떤 것에도 뛰어난 실력을 뽐내지 못했다. 나에게는 그럴만한 실력이 없었고 나는 그 실력으로 취미를 정했다. 그렇기에 지금까지 취미를 못 정한 것이다.

유명한 연예인이 이런 질문을 받은 적 있다.

'자신이 좋아하는 일과 잘하는 일 중 무엇을 골라야 할까요?'

그러자 연예인은 한치에 망설임도 없이 '좋아하는 일이죠'라고 말했다. 이유를 물어보자 그는

'좋아하는 일을 계속하다 보면 결국엔 잘하게 될 것입니다. 어차피 나중에는 모든 일이 지치고 힘들기 마련인데 조금이라도 자신이 좋아하는 일을 하는 게 좋지 않을까요?'

라고 답하였다. 이 말이 옳다면 내 선택은 현명하지 못한 것이다.

나는 항상 좋은 취미를 두는 걸 중요시했다. 쓸모 있고 내 재능이 뚜렷이 보이는 그런 취미를 원했다. 그런데 그 연예인의 말대로라면 좋은 취미란 없다. 내가 흥미 있는 취미를 만들어도 그 취미가 쓸모 있어질까? 그 일에 소질이 있을까?

그건 아무도 모르는 수수께끼이다.

하지만, 이번에는 연예인과 주희의 말을 믿고 싶다. 내가 공부를 시작한 건 다른 사람들의 영향이었지만 결코 싫지 않았다. 오히려 즐거웠다. 문제를 풀어가며 답을 생각해 나가는 그 상황이 재밌었다. 덕분에 내 성적도 향상되었다. 어쩌면, 이 모든 게 내가 공부에 흥미를 보였기 때문이다.

취미도 공부와 같을 것이다.

처음에는 실력이 안 좋아도 그 일이 즐거울 거다. 여러 번에 실패가 있겠지만 재밌으니 계속 도전해 볼 것이다. 그걸로 우리는 한 걸음씩 성장해 간다. 새로운 걸 찾게 되고 새로운 걸 배우게 된다. 그러면서 점점 실력이 쌓일 거다.

재능 있는 취미도 내겐 중요하지만 내가 그 일을 즐기면서 할 수 있는 게 가장 중요하다는 걸 알게 되었다.

"자, 다음 후보는 무엇일까요~~?"

주희는 콧노래를 부르며 노트를 확인했다. 뭔가 이상한 걸 봤는지 표정이 생뚱맞았다.

"뭔데 그래?"

노트를 확인하니 다음 목록은 '바이올린 연주하기'였다. 찬비 언니의 취미이다.

"바이올린이라…이 병원에 바이올린이 있을까?"

"흠…아마 없을 거 같은데…."

아무래도 병원에서 바이올린을 찾기란 불가능에 가까웠다. 활이 날카로워 사고 위험이 크고, 난폭한 환자들은 이를 무기로 사용할 수도 있다. 어쩔 수 없이 바이올린을 목록에서 지우려는데 주희가 내 손목을 잡았다. 내가 "왜?"라고 묻자 주희는 눈썹을 치켜세우며 말했다.

"어쩌면 바이올린 있을 거 같아"

"병원에 바이올린이 있다고? 도대체 어디에…?"

주희를 따라 병원 게시판으로 향했다. 게시판에는 프로그램실 참여 신청서가 여러 장 붙어있었다. 설마, 이 중에서 바이올린 연주를 가르쳐 줄 프로그램이 있다고 생각하는 걸까?

"야, 의사들이 미쳤다고 환자들한테 바이올린을…."

"찾았다!"

당황한 채 주희가 손으로 가리키는 곳을 쳐다봤다. 그 전단지에는 정말 바이올린 연주를 가르치는

프로그램도 있었다. 병원에서 바이올린 연주를
허락한다는 게 의아했지만 연주를 할 수 있다는 게
다행이다.

 예전에 찬비 언니가 내게 이런 말을 했다.
 '나는…바이올린을 완벽하게 연주해 보는 게
꿈이야….'
 언니는 어렸을 때부터 사람들 앞에만 서면 속이
울렁거리고 몸이 바들바들 떨렸다고 말했다. 우리
앞에서도 말을 더듬고 불안해 보이는데 다른 사람들
앞에 서는 게 얼마나 힘들지 짐작이 안 갔다.
 '그런데도, 끝까지 바이올린 연주를 했어…. 한 곡을
연주할 때까지…끝낼 수 없었어'
 연주를 하는 중에도 증상은 계속 나타났다고 한다.
속이 안 좋아 토를 한 적도, 머리가 어지러워 기절한
적도 있다고 했지만 꼭 곡에 끝까지 연주했다고
그랬다. 나는 그렇게까지 열심히 바이올린을 연주하는
이유가 궁금했다.
 '그러면 부모님이 좋아할 줄 알았거든….
모자라더라도 열심히 노력하는 모습을…기특하게
바라볼 거라 믿었어. 근데, 아니더라….
부모님은…열심히 하는 게 아니라, 잘 하는 걸 바랐나
봐….'

나와는 정반대에 생각이었다. 나는 내가 잘 하는 일을 해야 부모님께 칭찬받을 줄 알았는데 찬비 언니는 열심히 노력하는 모습을 보이면 부모님이 좋아할 거라 믿었다. …나도 그러기를 원했지만 세상은 냉정했다. 잘하지 않으면 노력한 시간은 중요하지 않았다.

 언니가 얼마나 열심히 노력했는지 동영상으로 지켜볼 수 있었다. 하지만 찬비 언니가 여러 번에 고난을 거쳐 한 곡을 완성해도 사람들은 박수조차 안 쳐줬다. 오히려 이상한 눈으로 언니를 쳐다봤다.

 그 영상을 바라보니 어렸을 때 내 모습이 생각나 마음이 아팠다. 공부를 좋아했지만 문제를 어떻게 풀어야 할지 몰라 답답하던 그때에 내가 생각났다. 그렇기에 찬비 언니 스스로가 얼마나 답답하고 원망스러울지 알았다.

"…주희야"

 주희가 고개를 돌리며 "응?"이라고 답했다.

"나, 꼭 바이올린 연주하고 싶어"

 힘든 찬비 언니 대신 내가 그 꿈을 이루어주고 싶었다. 언니의 바람을 나로 완전히 이뤄낼 수는 없겠지만 조금이나마 도움이 되고 싶다. 누구보다 언니가 나와 닮아 보였기에 참고 있는 게 고통스러웠다.

"오~ 드디어 흥미가 생긴 거야? 좋았어! 얼른 가자"

나는 주희와 병원 실내로 들어갔다. 이번에
바이올린을 배워서 꼭 완벽하게 곡을 연주하리라
결심했다.

　"네? 그게 무슨 말이에요?"
　주희가 놀라 간호사께 다시 물어봤지만 돌아오는
답은 똑같았다.
　"예전에 바이올린으로 다른 환자분이 사고를 친 적
있어서 병원 내에 바이올린을 다 치웠어요. 다른
악기를 배우는 게 좋을 거 같네요."
　너무 아쉬웠다. 찬비 언니의 꿈을 꼭 이루어주고
싶었는데 이렇게 끝나 버리니 허무했다. 하지만 이미
예상해 봤던 결과이다. 이 정신병원에서 누군가는 꼭
난동을 부리게 돼있으니 말이다.
　"그래. 주희야, 어쩔 수 없이 다른 악기라도…."
　"그러면"
　주희는 오기가 생겼는지 간호사께 한 가지 방법을
제안했다.
　"이렇게 해요. 저희는 정신적으로 상태가 많이
호전됐잖아요. 그 환자처럼 난동을 부린 일도
드물고요"
　간호사는 우리에게 별 관심을 주지 않았다. 우리가
귀찮은지 한숨을 내쉬기 일쑤였다.

"그래서 지금 문제는 바이올린이 없는 거니까, 저희가 바이올린 갖고 올게요. 그러면 저희를 위한 바이올린 수업을 만들어주세요"

간호사가 가소롭다는 듯 우리를 깔봤다.

"바이올린은 어디서 구할 건데요?"

주희는 뜻을 굽히지 않고 굳은 표정으로 답했다.

"이제부터 찾아보죠."

간호사는 우리를 쳐다보고 옆에 있던 동료와 얘기를 나눴다. 그 사이 도는 긴장감이 나를 경직되게 만들었다.

주희가 너무 적극적으로 나를 도와주니 부담스럽고, 괜스레 고생시키는 거 같아 미안한 마음이 들었다. 하지만 이왕 시작한 거 끝을 보고 싶었다.

간호사가 헛기침을 몇 번 하더니 말했다.

"의사 선생님께 물어볼게요."

다행이라는 생각과 동시에 다리에 힘이 풀렸다. 주희는 내 몸을 받쳐주며 "됐어. 성공이야!"라고 기뻐했다. 주희가 좋아하는 모습을 보니 나도 기분이 좋았다.

그러나 한 가지 문제점이 생겼다. 바이올린을 구할 곳이 마땅히 없다는 것이다.

"우리가 직접 나가서 누구한테 구해 올 수도 없고, 또 부모님께 사주라 하기엔 일을 너무 크게 벌이는데…."

여러 방법을 생각해 봤지만 가능성은 없었다. 이대로 바이올린은 포기하는 게 좋을 거 같다고 생각하던 때였다.

"아!"

뭔가 새로운 방법이 떠올랐다. 주희가 나를 보며 "뭔데?"라고 재촉하였다.

"찬비 언니한테 부탁해서 바이올린을 빌리면 어떨까?"

여태 나온 아이디어 중에선 꽤 괜찮은 편이었다.

"좋은 방법이긴 한데, 언니가 허락해 줄까?"

"그게 문제지…."

그 외에 다른 방법들을 아무리 생각해 봐도 이 아이디어가 가장 최선의 선택이었다.

"일단 물어보자! 도전도 안 해보고선 어떻게 알겠어?"

주희의 말처럼 일단 시도해 보는 게 좋을 거 같았다. 우리는 간호사실을 빠져나와 찬비 언니가 있는 병실로 향했다.

"바이올린을, 빌려달라고…?"

언니는 갑작스러운 부탁에 당황해했다. 하긴, 바이올린을 빌려주는 것이 쉬운 부탁은 아니다.

"네…저희가 취미로 바이올린을 배워보는 건 어떨까 궁금해서요. 물론 안 빌려주셔도 돼요"

찬비 언니는 잠시 고민하는 듯 턱을 괴고 있었다.
나는 언니를 설득하기 위해 말을 꺼냈다.

"저, 꼭 바이올린 배워보고 싶어요"

두 사람의 이목이 나에게로 집중되는 게 느껴졌다.

"전에 언니가 연주하는 영상 보여줬잖아요. 영상 속
언니는 추운 날씨에도 땀을 삐질삐질 흘리고,
중간중간 연주를 멈추고 자리를 이탈할 때도
있었어요. 그런데도 불구하고 한 곡을 끝까지
연주하려는 모습이 너무 멋있었어요. 그 자리에
서있는 거조차 힘들었을 텐데 한 곡을 꼭
끝내야겠다는 의지가 대단했어요"

찬비 언니는 조용히 내 이야기에 집중했다.

"그런데, 언니의 부모님은 항상 완벽만을
추구했잖아요. 그 모습이 저와 비슷해 보였어요.
그래서 제가 언니를 도와주고 싶어요. 찬비 언니를
대신해서 그 곡을 완벽하게 연주하고 싶어요"

언니가 사람들 앞에서 바이올린을 연주했다는 것은
나로서 상상도 못할 많은 용기가 필요했을 거다. 비록
그 이유가 부모님의 사랑일지라도 목표를 위해서라면
최선을 다하는 언니가 존경스러웠다. 나는 찬비
언니의 소원을 꼭 들어줄 거다. 언니의 부모님의
관심을 끌 수는 없어도 바이올린 연주를 완벽하게
끝내보고 싶다는 언니의 바람을 대신 이뤄주고 싶다.

찬비 언니의 부모님을 설득시킨 끝에 우리 둘은
바이올린을 얻을 수 있었다. 처음 들어본 바이올린은
생각보다 묵직했다. 활이 얇고 날카로워 놀랐지만
광나는 몸통이 아름다웠다.

"오~ 마음에 드는데?"

주회가 신나는지 바이올린을 연주하는 척 폼을
잡았다.

"어때? 바이올린 연주하는 모습 어울리지 않냐?"

"ㅋㅋㅋ 그래그래"

나도 악기는 처음 만져보는 거라 신기했다. 혹여나
악기를 망가트릴까 조심히 케이스 안에 넣어놨다.

"그…"

바이올린을 관찰하던 중 찬비 언니가 조심스럽게
얘기했다.

"바이올린, 안 돌려줘도 돼. 난…이제 바이올린
연주는 그만두려고"

그 말에 우리는 당황할 수밖에 없었다.

"바이올린 비싼 거 아니에요??"

"괜찮아. 처음 살 때부터 흠집이 많아서 싸게 샀어"

"아무리 그래도…."

갑작스레 바이올린을 선물하는 언니가 괜찮은지
걱정되었다. 너무 과한 선물 같아 여러 번 거절했지만
찬비 언니는 선물이라며 바이올린에 이름까지
적어주었다.

"고마워요, 언니"

"아니야…내가 더 고마워"

언니가 웃으며 내 어깨에 손을 얹었다. 나도 웃으며
언니를 꼭 안았다.

우리 둘의 분위기가 화목해질 때 즈음, 주희가
언니께 물었다.

"그럼 언니는 퇴원하고 나서 뭐 할 거에요?"

찬비 언니는 잠깐 머뭇대더니 어깨를 으쓱했다.

"아직은 잘 모르겠어…. 근데 바이올린은 내 길이
아닌 거 같아. 이제는 나도…너희들처럼 흥미에 맞는
일을 시작해 보려고"

언니가 흐뭇하게 우리 둘을 번갈아 쳐다보았다.
우리는 서로를 바라보다 "성공!"이라고 외치며 손을
맞잡았다.

서영이가 옆 병실로 놀러 간 사이, 우리는
바이올린을 케이스에 넣어둔 채 침대 옆에 세워뒀다.
기분 탓인 건지 바이올린을 보기만 해도 기분이
좋아졌다.

그날 주희의 대화 주제는 온통 바이올린뿐이었다.
다른 곳에서도 배우기 힘든 바이올린을 병원에서 배울
수 있다는 큰 기대감 때문인 거 같다.

"진짜 고마워, 주희야. 너 덕분에 바이올린도
배워보네"

"뭘 이런 거 가지고~ 나도 새로운 경험 시켜줘서 고마워"

주희와도 어느새 돈독해진 사이가 되어있었다. 부모님과도 이렇게 웃으면서 대화해 본 적이 없기에 애들과 나누는 얘기가 너무 좋았다.

그러다 갑자기 궁금한 게 생각나 주희에게 물어봤다.

"근데 너는 내가 취미 만드는 걸 왜 도와준 거야?"

내 질문에 주희가 조금 난감해하는 거 같았다. 괜한 질문을 했나 싶었을 때 주희가 답했다.

"이제…은애를 보내줘야 할 거 같아서"

당황스러웠다. 은애는 주희의 환각으로 만들어진 아이다. 그리고 주희에게 은애가 얼마나 소중한 사람인지 잘 알고 있었다. 나는 이유가 궁금해져 주희가 입을 열 때까지 기다렸다.

"환각에서 벗어나려면 새로운 취미를 만들어 보는 것도 좋은 방법이래. 그래서 너랑 같이 취미를 만들어 보려고 한 거야"

주희가 떨리는 목소리로 숨을 들이마셨다. 자신의 마음을 정리하면서 감정이 벅차오르는 모양이다.

"…나도 싫어. 은애 곁에 계속 남고 싶어. 은애가 없으면 난 다시 학교생활도 못 할 거 같아. 걔가 항상 내 옆을 지켜주고 나를 행복하게 해줬어. 근데, 나도 이제 정상적인 삶을 살아야지. 물론 학교에서는 짜증 나는 애들도 만나고 집에서는 아픈 아빠도 간병해

줘야 될 거야. 그래도, 이제는 이 아이를 놔주고 싶어. 내가…은애를 너무 못살게 굴었어. 너무 고통스럽게 만들었어. 은애도…자기 인생을 살아야 해"

주희는 어렸을 적, 어머니의 일방적인 가정폭력으로 아픔을 겪었다고 말했다. 그 괴로움을 안고 중학교를 입학해야 했고 몸이 편찮은 아버지를 간호하며 지냈다. 주희가 이혼가정인 걸 알게 된 동급생들은 위로를 건넸지만 주희에겐 그저 꼴사나운 말이었다고 한다. 자신의 고통을 느껴보지도 못했으면서 이해한다는 심정은 내가 생각해도 짜증이 났다.

그때부터 주희가 환각을 경험했다. 주희의 말에 의하면 '죽여라, 죽이자'와 같은 험악한 말이 자신의 귀를 맴돌고 친구들이 자신을 죽이려는 모습도 봤다고 말했다. 물론 그 모든 건 실제로 일어나지 않은 일이지만 매일 같이 환각을 경험했을 주희에겐 아주 고통스러운 나날이었을 거다.

그 상황 속에서 주희는 오로지 은애만 믿고 기댈 수 있었다고 한다. 은애는 주희가 힘들어할 때, 아무 말 없이 옆을 지켜주고 슬플 때면 자신을 웃게 해주는 아이라고 했다. 나는 은애를 볼 수 없었지만 주희가 은애로 행복한 일상을 보낼 수 있었다는 걸 누구보다 잘 알았다. 그렇기에 주희에게 은애란 없으면 안 되는 존재가 돼버렸다.

주희의 선택에 당황했지만 나는 은애처럼 주희를 지지해 주기로 결심했다. 주희 자신도 결정을 내리는데 많은 시간을 들였을 거다. 은애가 없으면 찾아오게 될 두려움과 고통을 누구보다 잘 안다. 하지만 은애와 같이 보낸 시간만큼, 은애에게서 벗어나면 생길 괴로움이 더욱 커질 것이다. 하루라도 빨리 은애를 보내주는 게 좋은 방법이다. 언제까지나 은애가 주희 곁을 지켜줄 수는 없다. 이제 주희는 현실을 직시하고 스스로 아픔을 견뎌내는 법을 배워야 했다. 고통을 직접 맞이해야 했다. 부모님 곁을 떠나 독립을 시작한 어른처럼, 자식을 다 키우고 홀로 남게 된 노인처럼. 처음은 힘들겠지만 점점 은애가 없는 일상에 익숙해져 가야 했다.

경험해 보진 못했더라도 주희의 심정을 조금은 알았다. 소중한 사람을 잃는다는 것은 정말 슬플 것이다. 마치 내가 주희와 서영이를 떠나게 되는 것처럼….
이제 애들을 만날 수 있는 기간이 한 달 조금 남았다. 그 후에는 다시 또 지긋지긋한 공부만 하고 살아야 한다. …내가 애들 없이 잘 지낼 수 있을까?
애들과 보낸 시간이 행복한 만큼 애들을 떠난 뒤에 남는 외로움이 클 거다. 그건 누구나 똑같다. 주희도 그렇다. 은애와 보낸 추억이 너무 즐거웠으니 은애의 빈자리는 더욱 크게 느껴질 것이다.

그 자리를 내가 채워주고 싶다. 내가 은애의 빈자리를 핑계로 주희, 그리고 서영이와 더 오래도록 지내고 싶다. 나를 처음으로 행복하게 만들어준 사람이기 때문에 더 빚지고 싶다. 그래서 빚을 갚기 위해 애들을 더 만나고 싶다.

주희의 마음이 풀리고 나서야 침대에 등을 붙일 수 있었다. 평소라면 계속 말을 걸어오는 주희가 귀찮게 느껴졌겠지만 오늘은 더 오랫동안 주희와 시간을 보냈으면 좋겠다.

주희는 같은 말을 여러 번 반복하였다. 은애와 헤어지면 잘 생활할 수 있을까, 은애를 잊으려면 어떻게 해야 할까.

계속 되뇔 정도로 많이 불안한가 보다. 나는 조금의 짜증도 내지 않았다. 오히려 주희의 모습이 곧 다가올 내 미래와 겹쳐 보여 안쓰러웠다. 그렇기에 어떤 말을 해줘야 할지 더욱 고민됐다. 이 문제에 대한 답은 나 또한 필요하기 때문이다.

나는 내 진실한 마음을 전해주기로 정했다.

"사실, 나도 지금 많이 불안해. 곧 있으면 퇴원하니까 퇴원한 후에 너희들도 못 보고 다시 공부에 전념해야 한다는 게 괴로워"

주희는 자신도 비슷하다며 눕혔던 몸을 일으켰다.
나도 인기척을 느끼고 몸을 일으켜 세웠다. 주희와
눈이 마주쳤다. 나는 이렇게 된 거 확고하게 내 뜻을
전하기로 다짐했다.

"우리…퇴원하고 나서도 만나자"

내 부탁에 주희가 눈을 크게 떴다. 나는 이어서
설명을 덧붙였다.

"너 많이 힘들잖아. 나도 힘들고, 서영이도 말은 안
했지만 마찬가지 일 거고…그러니까 우리가 서로
도와주면서 지내자. …솔직히 나 이제 너희들 없으면
외로워서 못 지낼 거 같아. 너희들이랑 같이 지내는
하루가 익숙해졌는데 떠나라고 해도 못하겠어. 너도
은애 없으면 많이 외롭잖아. 서영이도 친구를 워낙
좋아하는 아이고. 그러니까, 우리들끼리 서로 좋아해
주자. 앞으로 더 오랫동안"

내 말을 끝으로 아무런 대화를 하지 않았지만
분위기가 따스했다. 주희가 고개를 끄덕였을 땐
마음이 한결 편안해졌다.

함께한 포옹이 그날의 마지막 기억이자 추억이 됐다.

말 못 할 고백

　들뜬 마음을 안은 채 가방을 멨다. 아이들의
물음에도 대충 둘러대며 병원 밖으로 발걸음을
옮겼다. 오늘은 부모님과 외출하는 날이다.
　산책로를 따라 걸으니 하얀 승용차에서 내리는
엄마의 모습이 보였다. 설레는 가슴을 부여잡고
엄마를 향해 달려갔다. 엄마도 반가운 듯 팔을 벌려
나를 안아주었다.
　차에 탑승하고 운전석에 앉아있는 아빠와 룸미러로
눈이 마주쳤다. 병원에 입원하고 나서 한 번도 본
적이 없던 아빠였기에, 오랜만에 보는 아빠가
반갑기도 하고 왠지 낯설었다. 아빠는 눈썹을
치켜세우며 나에게 인사를 건넸다. 나도 눈웃음을

지으며 소리 없는 인사를 나눴다. 엄마가 이를
확인하고는 아빠를 향해 날카로운 눈초리를 줬다.
아빠는 눈치를 챙기며 내가 앉은 뒷좌석으로 고개를
돌렸다.

"딸…오랜만이네? 그동안 잘 지냈어?"

이 상황 속에서 가만히 있고 싶었지만 아빠가
무안해지지 않게 고개를 끄덕였다.

"네"

아빠는 애써 웃음을 지으며 엄마를 힐끗 쳐다보았다.
엄마가 그제야 만족스러운 듯 미소를 띠며 출발하라는
신호를 보냈다.

얼마 만에 병원을 나가는 것일까. 그저 평범한 바깥
풍경이 반가웠다. 멀어져 가는 병원을 바라보며 오늘
무얼 살지 생각해 봤다. 일단 달에 가고픈 토끼 5탄을
무조건 살 거다. 기회가 된다면 바이올린 악보집도
사보고 싶다. 앞으로 여러 곡을 연주하게 될 수도
있으니 말이다. 그리고 문제집….

…. 사야겠지.

다른 문제집들 아직 못 풀었는데.

앞길이 막막했다. 원래의 나라면 다 풀고도 남을
문제집들이지만 지금은 풀어야 할 문제집이
쌓여있었다.

원래의 나.

…

지금은 많이 변한 걸까.

그래도 여전히 나인데, 원래의 나랑 달라진 걸까.

복잡한 생각이 들었지만 오늘만큼은 부모님과 좋은 추억을 만들고 싶어 걱정을 뒤로했다.

"지현아, 사고 싶은 책 고르고 있어"

부모님은 나를 두고 서점 2층으로 서서히 사라졌다. 나는 들뜬 마음으로 책을 구경했다.

먼저 달에 가고픈 토끼 5탄을 집어 들었다. 찬비 언니가 좋아하는 발라드 악보집도 사기로 결정했다. 그리고 어쩔 수 없이…문제집도 골랐다. 아직 문제집을 다 안 풀었지만 아예 안 사기에는 부모님 눈치가 보였다. 그나마 내가 좋아하는 과학 문제집을 사기로 정했다.

책을 다 고르고 부모님이 있는 2층으로 올라가려던 참이었다. 익숙한 얼굴이 내 이름을 불렀다.

"지현아!"

유리였다. 친한 사이도 아닌데 미안하다며 편지를 썼던 그 유리.

유리가 잘 지냈냐는 영혼 없는 안부 인사를 건네며 나를 안으려 했다. 나는 유리의 손을 밀며 안는 걸 거부했다. 반가운 사람은 아니기 때문이다.

"너를 서점에서 보게 될 줄은 상상도
못했는데…요즘은 좀 어때? 이제는 학교 올 수 있어?"
궁금해서 물어본 질문이겠지만 내가 듣기엔 그
질문들이 못마땅스러웠다.
"아직 학교 갈 정도는 아닌데 상태는 괜찮아졌어.
너는 수요일인데 학교 안 갔어?"
"아…그렇구나. 난 오늘 가정 체험학습 내 가지고, 곧
있으면 차 타고 여행가"
내 반응에 유리가 꺼림칙한 표정으로 자신의
뒷머리를 어루만졌다.
"내 편지 읽어봤어? 당황스러웠지, 미안해. 이제 학교
나오면 내가 좀 더 잘 챙겨줄게!"
"아, 어."
편지의 내용이 어젯밤 기억처럼 생생히 떠올랐다.
나를 챙겨주겠다는 말이 거슬렸지만 좋은 뜻으로
말했거니 하고 넘어갔다.
그러고 보니 유리를 만나면 주기로 했던 편지가
생각났다. 서영이가 혹시 모른다며 가방에 넣어줬던
편지가 정말 쓸모 있을지는 몰랐다. 애들과 같이 썼던
편지라 별로 내키지 않았지만 유리에게 편지를
건넸다.
"네가 저번에 나한테 편지 줬으니까, 나도 줘야 할 거
같아서."

유리는 웬 편지냐며 호들갑 떨었다. 조금 오래전에 쓴 편지라 내용이 가물가물했는데, 편지를 같이 보자는 유리 덕에 내용을 읽을 수 있었다. 이상한 내용을 쓰진 않았을까 걱정되었다.

'유리에게
 유리야 안녕, 나 지현이야. 네 편지 잘 읽었어. 갑작스러운 편지 때문에 당황스럽긴 했지만, 이렇게 용기 내줘서 고마워.
 아무래도 내가 정신병원에 입원해있다 보니까 선생님께서 내 걱정이 많이 들으셨나 봐. 다른 아이들이라면 그냥 무시했을 텐데 얼굴 보지는 못해도 직접 찾아와준 게 정말 감동이야.
 편지를 읽어보니 네가 내가 힘들 때 도움을 못 줘서 미안한 것 같은데 미안해 안 해도 괜찮아. 네 잘못도 아니잖아. 나한테 신경 써준 것도 그렇고 나 걱정해 주는 것도 그렇고, 여러모로 고마워.
 난 잘 지내고 있어. 나중에 학교에서 만나자. 너도 잘 지내길 바라.
 -2023년 7월 25일, 지현이가-'

 유리가 편지 내용을 얼추 읽었는지 눈물 닦는 시늉을 했다. 내가 보기엔 어디서 감동을 받아야 할지 전혀 모르겠다. 너무 오글거려서 손발이 녹아내릴 것

같았다. 편지를 읽은 뒤에도 유리는 열심히 뭐라 뭐라 얘기했지만 나는 빨리 이 상황을 벗어나고 싶었다.

그때, 2층 계단 쪽에서 부모님의 목소리가 어렴풋이 들려왔다. 나는 이를 기회 삼아 상황을 벗어나려 했다.

"난 부모님이 기다리셔서, 먼저 갈게."

"벌써? 그래, 편지 고마워. 학교에서 보자!"

재빨리 부모님과 계산대 앞으로 향했다. 엄마는 내가 고른 책들을 살펴보고 있었다. 새롭게 고른 악보집을 흥미로워하는 것도 잠시, 문제집을 보며 동작을 멈췄다.

"문제집은 한 권만 골랐네? 다른 과목은 아직 다 안 풀었어?"

"아, 그게…."

사실대로 말하기가 어려워 이 상황을 수습할 만한 좋은 핑곗거리가 떠오르지 않았다. 엄마는 바로 대답 못하는 나를 주의 깊게 살펴보더니 책을 계산대 위에 올려놓았다.

"그래. 우리 지현이가 진도를 조금 늦추고 싶었구나? 돈도 적게 들고 좋네~"

내 등을 쓰다듬어주는 엄마가 뭔가를 알아챈 거 같았다. 그게 무엇인지는 모르겠으나 위급했던 순간을 넘어갔으니 다행이다.

엄마는 잠시 들릴 때가 있다며 아빠와 나를 공원에
놔둔 채 차를 타고 가버렸다. 나는 아빠와 반강제로
공원에서 시간을 보내야 했다. 아빠가 싫은 것은
아니었지만 평소에 대화를 자주 안 하다 보니 단둘이
있는 시간이 조금 불편했다.

아빠는 같이 할 수 있는 활동을 해보자며 제안했지만
나는 거절했다. 내게 주어진 시간을 몸을 움직이는
활동보다는 책을 읽는데 사용하고 싶었다. 아빠도
이를 눈치채고는 내 옆 벤치로 다가와 다소곳이
앉았다. 부녀지간이라기엔 꽤 먼 거리감이었다.

옆을 힐끗 쳐다보니 아빠의 표정이 언짢아 보였다.
나와 있는 시간이 조금 어색하겠지만 오랜만에 보는
내가 무척 반가울 거다. 물론 나도 그랬다. 아빠를
정말 보고 싶었지만 한편으로는 나를 안 찾아오던
아빠가 두려웠다. 집에 자랑이던 딸이 정신병원에
들어가 비웃음 받는 게 부끄러운 걸까, 아니면 의사가
되겠다던 딸이 정신병원에 들어간 것에 실망한 걸까.
어느 쪽이든 아빠의 미움을 산 게 분명했다. 그래도
이참에 아빠께 물어보고 싶었다. 왜 여태껏 병원에 안
찾아온 건지.

"아빠"

"응?"

"아빠는 내가 정신병원에 입원한 게 싫었어?"

내 말에 아빠가 당황해했다.

"싫다니? 그게 무슨 소리야?"

"내가 자랑스러운 딸이 아니라서 실망한 거지…? 그래서 나 보려고도 안 온 거 아니야?"

아빠는 손을 휘휘 저으면서 아니라고 부정했다. 내가 왜 그랬는지 이유를 묻자 아빠는 고개를 아래로 떨궜다. 조심스럽게 열린 입에서는 상상도 못했던 얘기가 나왔다.

"사실, 이 모든 일에 근원이 나라고 생각해서, 죄책감 때문에 우리 지현이 얼굴도 못 보겠더라…"

"…그게 도대체 무슨 의미야? 내가 정신병원 입원한 게 왜 아빠 때문이야…?"

"지현이가 어렸을 때부터 아빠가 일하는 병원에 자주 찾아왔잖아. 네가 아빠 보면서 자기도 아빠처럼 멋진 의사가 되고 싶다고 말했는데, 아빠는 우리 딸이 의사 되는 거 원치 않았어"

…아빠의 말은 정말이지 충격적이었다. 나는 아빠가 그런 생각을 가지고 있을 줄은 전혀 생각 못 했다.

"근데 예전부터 의사가 되겠다던 애가 갑자기 정신병원에 들어가니까, 나 때문에 네가 병원에 들어간 거 같은 생각도 들어. 그래서 병원에 못 갔어. 죄책감이 너무 많이 들었거든. 내가 의사가 아니었다면 지현이가 병원에 입원할 일도 없었을 테니까…"

아빠의 눈에서 흐르는 눈물이 시멘트 바닥 위로
떨어졌다. 내 심장은 빠르게 뛰고 머리는 뒤죽박죽
어지러웠다. 정말 아빠의 잘못으로 병원에 오게 된
걸까? 선택은 내가 한 건데. 아빠는 왜 자책하지?
나는 아빠께 죄책감을 심은 걸까? 어쨌든 그러면 내
잘못이지 않을까?

그 와중에도 아빠는 한 손으로 내 손을 잡아줬다.
떨리는 내 반대쪽 손으로 아빠의 얼굴을 들어 올렸다.
아빠의 얼굴은 눈물로 축축해져 있음과 동시에 눈
주변이 붉었다.

처음이다. 아빠가 우는 모습을 본 것은. 여태
가장으로서 듬직한 모습만 내세우던 아빠가
당연스러웠는데, 눈물 흘리는 모습을 보니
당혹스러웠다. 이런 일은 처음이라 어찌할 바를
몰랐다. 그저 아빠가 눈물을 거두기만을 하염없이
기다렸다.

어느새 병원 앞에 다다랐다. 마음속엔 아쉬움이
가득했지만 곧 있으면 퇴원이니 한시름 마음이
놓였다. 그래…퇴원이니까.
…

"근데 아빠 울었어? 눈 주위가 빨갛던데, 무슨 얘기
한 거야?"

나와 엄마는 병원 안 산책로에서 얘기를 좀 더
나눴다.

 "아니 그냥, 아빠 보고 병원에 왜 안 오냐고
물어봤는데 죄책감이 든다면서 갑자기 울던데?"

 "…그래?"

 대답하는 엄마의 표정이 심상치 않았다. 분위기를
보아하니 무슨 할 말이 있어 보였다.

 "엄마, 나한테 할 말 있지? 얼굴이 왜 그래?"

 "아니, 그게…아니야"

 "에이, 뭔데 그래~"

 나는 계속 무슨 얘기냐며 엄마를 재촉했지만 엄마는
말해주지 않으려 했다. 오히려 갑자기 말을 돌렸다.

 "요즘 병동 생활은 어때? 괜찮아…?"

 "응, 너무 행복해. 주희랑 서영이도 그렇고 병원
사람들이 나 많이 챙겨주고 좋아해 줘. 여기 있으면
바이올린도 배울 수 있어서 진짜 진짜 좋아"

 병동 얘기를 할 때면 내 얼굴은 항상 밝아졌다. 내가
이렇게 환하게 웃을 수 있는 이유는 병원 사람들의
도움이 컸다.

 "…그래? 다행이네"

 엄마가 웃으며 내 머리를 쓰다듬어 줬지만 어딘가
많이 불편해 보였다. 막상 물어보고 싶던 것은 따로
있는 거 같았다.

"근데 이제 곧 퇴원이잖아. 학교생활 다시 잘할 수 있겠어?"

학교 다닐 적에 내 모습을 떠올렸다. 생기 없는 얼굴로 하는 거라곤 자리에 앉아서 공부밖에 안 하던 내 모습이 지금과는 상반되었다. 고작 2개월 전에 나였지만 금세 어색해졌다. 어쩌면 예전 내 모습에 적응하기 힘든 것이 아닌 예전의 나를 외면하는 것일지도 모른다.

"하하…. 글쎄, 이제 병동 생활이 익숙해져서 학교에 다시 적응하는 게 조금 힘들 거 같긴 해"

나는 엄마를 위한 거짓말을 할 수가 없었다. 거짓말을 하면 내 마음 한구석이 찔리는 듯이 답답할 거 같았다. 하지만 엄마께 거짓말을 하는 게 옳았다.

엄마는 그 자리에서 훌쩍거리기 시작했다. 이번에도 당황스러웠다. 아빠도, 엄마도, 오늘만큼은 눈물이 멈추질 않았다.

엄마가 울먹이는 목소리로 말했다.

"지현아…학교생활 힘들면, 학교 그만 다닐래?"

…심장이 멎는 줄 알았다. 그만큼 나에게 큰 충격을 주는 말이었다.

"…엄마 그게 무슨 소리야"

엄마께 되물어봤지만 돌아오는 답은 똑같았다.

"엄마는 지현이가 병원 입원하고 나서부터 공부 안 하고 있다는 거 알고 있었어. 근데 그걸 나쁘게 생각하지 않아. 학교 다니는 동안 많이 힘들었잖아.
병원 나오면 다시 공부에 대한 강박감을 느끼게 될
수도 있고, 그러면 또다시 증상이 악화되면….”
“그만해.”
　엄마의 말을 더 이상 듣고 싶지 않았다. 엄마가
자퇴를 생각하고 있을 줄은 꿈에도 상상하지 못했다.
내가 공부를 안 하고 있는 것은 어떻게 안 거지.
　“…나 학교 안 그만 둘 거야. 다시 학교 다닐 거고
공부도 다시 할 거야. 다시 증상이 악화되는 한이
있어도 꼭 의사 될 거라고.”
　“지현아, 네가 힘들면 쉬어가도 되고 그만둬도 돼.
엄마는 지현이가 무슨 선택을 하든 믿고 따라갈게”
　엄마는 내 어깨에 손을 올렸지만 나는 짜증이 치밀어
올라 엄마의 손을 뿌리쳤다. 엄마가 놀란 눈빛으로
나를 쳐다봤지만 지금은 그 시선이 중요치 않았다.
　“엄마가 그렇게 말할 자격이 있어? 내가 왜
공부하는지, 그토록 의사가 되고 싶어 하는지 아직도
모르겠어?!?!”
　엄마는 화를 내는 나를 처음 봐서 그런지 당황하여
아무 말도 못 하고 있었다. 나는 감정이 복받치며
눈물이 나왔다.
　“엄마 아빠가 바라던 거잖아. 내가 멋진 의사가 돼서
부모님의 자랑거리가 되길 원하잖아. 근데 왜 이제
와서 엄마는 괜찮다, 힘들면 그만두라고 하는 거야?

내가 성공하려고 노력해 온 것도, 이렇게 망가진 것도
전부 엄마 아빠 탓이잖아!"

"지현아…아니, 그….”

"엄마가 자기 딸 천재라고 소문내고 다닐 때 얼마나
괴로웠는지 알아? 주변 사람들이 기대하니까
실망시키기 싫어서 열심히 노력했어. 그런데, 이제
와서 어떻게 그럴 수가 있어…?"

떨리는 목소리로 울부짖었다. 인생에서 처음으로
엄마께 화를 냈다. 그 이유는 굉장히 복잡했다.

아무 말 없이 내 자퇴를 결심한 엄마가 미워서?
여태껏 부담을 준 부모님이 미워서? 모두 아니었다.

'학교 그만둘래?'라는 말에 마음이 편안해지는 내
모습에 짜증이 치밀어 올랐던 것이다. 아까 전에 낸
화도 사실 나에게 낸 분노였다.

학교를 그만두고 싶었다. 다시 학교로 돌아간다면
앞으로를 어떻게 보내야 할지 두려웠다. 유리가 날
도와준다고 해도 그 불안을 떨쳐 낼 수가 없었다.
다른 아이들에게 미움받을 것이고, 또 혼자가 되어
공부만 하는 고통스러운 인생이 반복될 것이다.

그에 비하면 이곳은 훨씬 편하다. 처음에는 이상해
보이는 사람들이 마냥 싫었지만 그들은 누구보다 나를
아껴주었다.

어딘가 나와 비슷해 보이는 창비 언니도,

자신들도 힘들지만 나를 행복하게 만들어주려는
주희와 서영이도,
　무엇보다
　큰 부담감을 혼자서 짊어진 채 앞만 보고 달려온
나도.
　모두 좋다.
　누구보다 힘들었을 나를 위해, 누구보다 지쳐있는
우리를 위해 서로가 버팀목이고 힘이 되어줬다.
우리는 하나의 가족처럼 따듯했고 편안했고 행복한
시간을 보냈다. 부모님이 걱정하실까 말 못 했던
진심도 이곳에서는 마음 놓고 얘기할 수 있었다. 나와
같이 마음이 아픈 사람들이기에, 누구보다 내 마음을
잘 이해할 수 있는 사람들이기에 가능한 일이었다.
　만난 지는 2개월이지만 나에겐 2년 같은 긴
시간이었다. 그렇기에 떠나야 한다는 그 사실이
아쉽기만 할 뿐이었다.
　나에겐 너무 소중한 사람들이기에,
　함께 했던 즐거운 추억이 있기에,
　이곳에선 마음껏 웃을 수 있기에,
　이 순간을 잃고 싶지 않았다.
　하지만 부모님께 내 심정을 고백할 수는 없었다.
학교를 그만두길 원하지만 애써 인정하고 싶지
않았다.

부모님을 실망시키긴 싫으니까,
자랑스러운 딸이 되고 싶으니까,
힘들어도 부모님께 사랑받는 내가 되고 싶었다.

아껴주다, 사랑하다

복잡한 심정에 그 자리를 벗어나 병원으로 들어갔다.
엄마가 내 이름을 마구 불러댔지만 아무 대답도 하지
않았다. 주야장천 앞만 보고 달렸다.

창문을 보니 일기예보에도 없던 소나기가 거세게
내리기 시작했다. 엄마가 비를 맞진 않을까
걱정됐지만 전화를 계속 거는 걸 보니 다행이었다.
엄마의 잦은 연락을 받기가 두려워 일찍 보관함에
핸드폰을 넣었다.
애들은 뭔 일 있냐며 물었지만 나는 대답하기
어려웠다. 평소라면 어떤 힘든 일이라도 털어놨겠지만

지금은 조금 달랐다. 내가 학교를 그만두고 싶어
한다는 걸 들키기 싫었다.
  답답한 마음에 찬비 언니를 찾아갔지만 역시나
언니한테도 얘기를 꺼내려고 하니 말을 더듬었다.

  갑갑한 기분을 풀려고 옥상 위로 올라갔다. 사람들은
모두 천장 아래에서 얘기를 나누었지만 나는 왠지
비를 피하고 싶지 않았다. 거세게 내리는 비가 시야를
가렸지만 그 상황이 좋았다. 축 처지는 병원복처럼 내
기분도 축 처졌다.
  그때, 한 할머니가 다가왔다. 옆을 쳐다보자 할머니는
웃으며 축축해진 내 옷깃을 잡아당겼다.
  "봉길아, 여기서 뭐해. 비 맞는 게 그렇게 좋아? 허허
감기 걸려"
  말금 할머니였다. 할머니는 아직도 내가 봉길인 줄
아는 모양이다.
  "괜찮아요, 할머니. 감기 걸려요. 빨리 안으로
들어가세요"
  "엄마한테 할미는 무슨, 그리고 말로 들어가! 엄마도
아직 팔팔해"
  할머니가 잡고 있던 옷깃을 놓고 기지개를 폈다.
나는 할머니 얼굴 위로 흐르는 빗물을 손으로
닦아주었다. 말금 할머니는 내 손을 두 손으로 꼭
잡았다. 내 몰골을 살피며 말했다.

"아이고, 봉길이. 무슨 일 있어? 안색이 왜 이렇게 안
좋아. 힘든 일 있으면 엄마한테 말해야지"

"…어떻게 알았어요?"

그 말에 대뜸 눈물부터 흘렸다. 아까 봤던 엄마의
얼굴이 생각났다. 서점에서 아무 말 없이 넘어간 것도
그렇고, 학교를 그만두자는 것도 그렇고. 엄마는
누구보다 나를 잘 알고 있었다. 그런 엄마께 화를
냈던 내가 너무 못났고 후회스러웠다.

"이 엄마는 다 알아! 우리 봉길이 어디가 아픈지,
힘든지. 뭔 일인데 그래, 엄마한테 말해 봐"

나는 이 김에 말끔 할머니께 고민을 털어놓기로
결심했다. 다른 때라면 아무한테도 말 못 하고 혼자서
끙끙 앓았을 거지만 지금은 달랐다. 나는 지현이가
아닌 봉길이었다. 그렇기에 말 못 하던 불편함이
조금은 덜어졌다.

"사람들이 어렸을 때부터 똑똑한 제가 의사가 되길
원했는데 공부하는 게 너무 힘들어요. 조금만
실수해도 사람들의 기대를 저버리게 되고 의사가 될
수도 없을 거 같아요. 그런데 제 실력이 부족할 때도
있으니까 그런 제가 짜증 나고 더 이상 의사가 되기
싫은 제 마음에도 불만이에요. 부모님의 자랑스러운
자식이 되려면 의사를 해야 하는데 공부하는 게 너무
힘들고 지쳤어요. 하지만 이대로라면 부모님의 실망만
사게 될 게 뻔해요"

감정을 마구잡이로 내뱉으니 눈물이 왈칵 쏟아졌지만
흐르는 빗방울과 겹쳐져 느껴지지 않았다. 하지만
울부짖는 내 목소리는 내가 여태껏 얼마나 고통스럽고
힘들었는지를 고스란히 전달해 줬다.
 말금 할머니는 그런 내 마음을 아는지 모르는지 내
등을 두드리며 위로인지 잔소리인지 모를 말을 했다.
 "어이구, 이 사람아. 힘든 일 있으면 엄마한테
말하라고 했잖아! 왜 혼자서 속을 썩이고 있어"
 그 말이 나를 더 힘들게 만들었다. 늘 우리 엄마가
하던 말
 '지현아, 힘든 일 있으면 참지 말고 엄마한테 말해~
알았지?'
 과 다름없었다. 그 얘기가 편안하기도 했고,
한편으로는 엄마가 원망스러웠다. 내가 기댈 수 있는
사람이 생긴 거 같았지만 막상 기댈 수는 없었다.
아빠가 퇴직한 뒤 엄마는 더 바쁘게 일했고 말할
기회를 많지 않았다. 그때 나는 기대고 싶어도 엄마가
힘든 걸 알기에 걱정시키고 싶지 않았다. 혼자서도 잘
해내는 모습을 보여주고 싶었다. 좋은 모습 보여서
많이 사랑받고 싶었으니깐.
 "봉길아, 이 엄마 바라봐"
 말금 할머니는 내 턱을 잡으며 나와 눈을 맞췄다.
나는 흐르는 눈물을 참으며 할머니께 집중했다.

"봉길아, 아무리 다른 사람들이 그 일을 강요해도
네가 싫으면 안 해도 되는 거야. 응? 왜 다른
사람들을 신경 써. 그냥 네가 좋아하는 일, 하고 싶은
일 하고 살면 그게 행복한 인생인 거야. 안 그래?
그리고 사람이 실수도 하면서 살아야 진짜 사람이지.
너무 완벽하게 살려고 하면 오히려 더 망가져. 누구나
잘못된 선택을 할 수 있는 거니까 너무 자책하지
말아. 그걸 경험으로 다음번엔 더 잘하면 되는 거야"
 나는 할머니 품에 안겨 옷에 얼굴을 파묻었다. 말금
할머니가 내 등을 토닥이며 콧노래를 불러주었다.
 "근데, 그러면 부모님은 절 자랑스럽게 여기지 않을
거예요. 부모님의 기대에 충족하지 못하니까 저한테
실망할 거예요…."
 "아이고, 그게 무슨 소리야!"
 말금 할머니는 내 등을 소리가 날 정도로 치셨다.
나는 깜짝 놀라 어깨를 움츠렸다.
 "너는 태어난 것만으로도 이 엄마의 자랑스러운
자식인 거야. 알겠어? 엄마는 우리 봉길이가 똑똑한
의사가 되던지, 돈을 많이 버는 건물주가 되던지
상관없어. 그냥 우리 봉길이가 행복하면 그걸로
만족하는 거야. 자기 하고 싶은 거 하고 살면서 네가
네 삶의 만족하면 엄마는 그걸로 됐어. 자기의 앞날을
계획하고 스스로 노력하는 봉길이가 엄마에겐 세상 그

누구보다 자랑스럽고 기특해. 우리 봉길이가 정말
열심히 살아가고 있구나 생각도 들고 그래….”

말금 할머니의 말을 듣고 나니 점점 아까 엄마가
그렇게 말했던 이유를 알 거 같다. 엄마가 학교를
그만두길 제안했던 건 나를 위한 엄마의 결단이었다.
부모님이 내가 의사가 되길 원한다는 것 또한 내
착각에서 비롯된 거짓이었다. 부모님은 누구보다 내가
행복하길 원했다. 그래서 내가 정신병원에서 치료받게
했고 학교를 그만두려고 정한 것이다.

그 누구보다 나를 아끼니까,

나를 사랑하니까,

내가 더 행복한 나날을 보낼 수 있도록 도와준 거다.

나에겐 똑똑한 머리도 멋진 의사의 꿈도 필요
없었다. 내가 어떤 모습이든, 부모님은 여전히 나를
아껴주고 사랑해 주고 자랑스럽게 여길 거니 말이다.

이제서야 부모님의 마음을 알아냈다는 게 너무
한심했다. 그렇게 내가 화를 냈던 엄마께 너무 고맙고
미안했다. 나는 엄마 마음도 모르고 화만 버럭버럭
냈는데, 엄마는 여전히 나를 걱정하고 계셨다.
부모님의 자랑스러운 딸이 되고 싶어서 시작한
일이었지만 이는 오히려 부모님을 더 괴롭게 만들고
있었다.

“미안해, 엄마. 내가 정말 잘못했어….”

내 이야기를 들어준 말금 할머니께 엄마 같은 기분이
들어 괜히 사과를 했다. 말금 할머니는 사람은 누구나
실수한다며 괜찮다고 나를 달래주었다. 항상 나를
이해해 주고 기다려주던 우리 엄마처럼 말이다.

만약 지금 내 앞에 서있는 게 정말 우리 엄마였다면,
나는 내 솔직한 마음을 전달할 수 있었을까.
나는 엄마께 미안하다고 사과할 수 있었을까.
엄마는 여전히 나를 이해해 줄까.

그건 두고 봐야 알겠지.

마지막 결단

　말금 할머니와 얘기를 나누고 나니 마음이 한시름
편안해졌다. 하지만 여전히 걱정되는 건 마찬가지였다.
　이번엔 용기를 내어 애들에게 진실을 밝힌 뒤 조언을
구하는 중이었다. 찬비 언니도 함께 말이다.
　"너희 어머니도 학교 그만두는 걸 허락했는데 당연히
괜찮지!"
　서영이는 답답하다며 가슴을 두드렸지만 내 어깨는
갈수록 말려들어갔다.
　"근데, 엄마한테 어떻게 말할까…. 화내고 난 후로
엄마한테 오는 연락도 모두 무시했는데…"
　"에이~ 어머니도 네 마음을 알게 되면 분명히 용서해
줄 거야"

주희는 내 손을 잡고 어루만져 줬다. 겁나던 내가
"정말…?"이라고 묻자 주희는 "응!"이라며 고개를
끄덕였다.

"지현아"

언니가 내 이름을 불렀다. 찬비 언니를 쳐다보니
예전보다 훨씬 부드러운 얼굴로 나를 바라보고
있었다. 나는 천천히 언니께 다가가 품에 안겼다.
포근한 느낌이 내 걱정을 덜어내주었다.

"네 심정이 어느 정도 이해가 돼…. 계속 괜찮다고
다독여봐도 마음속으로는 계속 걱정되는 게 당연한
거야. 네가 전에 말했잖아. 도전해 보지 않으면 아무리
좋은 실력을 가져도 소용없다고…. 그 말처럼 언니도
사람들 앞에 서기가 두려워서 손도 떨리고 구토도
해봤지만 끝내 내가 하고 싶던 바이올린을 연주해
봤어. 물론 완벽한 연주는 아니었어. 예전에는 더
완벽한 연주를 하려고 노력했지만 지금은 시도를
해봤다는 것에 큰 의미를 부여하고 있어. 거기까지
가는 데에도 많은 용기와 노력이 필요했거든….
그것처럼 우리 지현이도 지금 부모님께 네 마음을
전하기가 힘들 거야. 근데 너무 부담 갖지 마. 좋은
결과가 안 나와도 괜찮아. 네가 완벽한 문장을 말하지
못해도, 원하는 대답이 아니더라도 말하는 용기가
대단했기에 너는 충분히 잘했어"

찬비 언니의 말처럼 그 일로 이뤄낸 성과보다 그 일을 헤쳐나가기 위해 필요했던 용기와 노력이 더 값진 보물이다. 일이 하던 대로 잘 안 풀리더라도 여태껏 성실하게 달려온 끝에 얻은 결과이기 때문에 자신이 마냥 밉지만은 않을 거다. 노력하지 않았더라면 그 목표 근처에도 도달 못 했을 거니 지금까지 열심히 일해왔던 자신이 기특할 것이다.

부모님도 이제껏 부지런히 공부했던 내 노력과 끈기를 자랑스럽게 여길 거다.

그리고 언젠가는, 나도 나 자신을 자랑스럽게 여기는 날이 오겠지.

그 일이 있고 3일 뒤에야 엄마께 전화를 드릴 수 있었다. 내 목소리는 무척 어두웠지만 엄마의 목소리는 변함없이 밝았다. 걱정을 해주는 엄마로 인해 죄책감이 부쩍 늘어났다. 미안하다는 말을 꺼내기도 전에 눈물부터 나왔지만 엄마는 날 기다려주듯 전화기 너머에선 아무 말도 들려오지 않았다.

5일 만에 만난 엄마의 얼굴은 너무 초췌했다. 물론 나도 조금은 수척해졌다.

마음고생이 심했을 엄마를 생각하니 또다시 내
얼굴은 눈물 범벅이 되었다. 엄마도 그런 나를 안은
채 눈물을 보였다. 엄마의 눈물이 내 뺨을 타고
흘러내렸다.

"엄마…화내서 미안해. 진심이 아니었어. 사실, 나도
학교 그만두고 싶었어. 의사 되는 것도 싫었어. 근데,
엄마 아빠가 실망할까 봐 말 못 했어…. 자랑스러운
딸이 되고 싶었는데, 미안해…."

엄마는 아니라며 고개를 저었다.

"오히려 엄마가 미안하지…. 나는 우리 지현이가 병원
나오면 다시 학교도 잘 다니고 커서 멋진 의사도 될
거라고 믿었어. 근데 엄마가 착각한 거였어. 엄마는
지현이한테 신경을 많이 못 써서 지현이가 공부하는
걸 좋아하는 줄 알았어…. 병동에서 지내는 모습을
보니 확실히 알겠더라. 지현이가 여기서 지내는 게
즐겁고 행복하다는 것을…. 지현이가 무슨 일을 하든
행복한 게 우선인데, 무작정 공부만 시켜서 너무
미안해…."

이런 말을 예측했을 때는 별 감정이 안 들었지만
실제로 들어보니 너무나도 행복했다. 불안했던 내
마음이 안심되니 여태껏 힘들었던 과거가 머릿속을
스쳤다. 더 이상 공부하지 않아도 된다는 사실이 나를
더 오열하게 만들었다. 이제는 남의 눈치 안 보고
마음 편히 쉴 수 있다는 것에 안도했다.

엄마가 내 얼굴을 만지며 눈물을 닦아줬다.

"그리고, 엄마는 이런 걸로 지현이한테 실망 안 해. 누구보다 부모님을 위해 열심히 노력하는 내 딸을 어떻게 미워하겠어? 엄마는 지현이가 지금까지 힘든 일도 잘 버텨줘서 너무 고맙고 사랑하고, 우리 지현이가 그 어떤 사람보다도 자랑스러워.

사랑해, 우리 딸~"

나도 사랑해, 엄마

더 이상 내가 불안에 떨 이유도, 강박감을 느낄 일도 없었다. 다른 사람들 때문에 고통받지도 않을 것이다. 내 앞길은 다른 사람들이 아닌, 나 자신이 만들어가기 때문이다.

의사라는 꿈도 접고 학교도 그만 둘 거다. 그렇다고 공부에 손을 아예 떼겠다는 의미는 아니다. 완벽함을 위해 집착하지 않는 대신 내 미래를 위해 공부할 것이다. 대단한 성과를 이뤄내 부모님의 자랑이 되는 게 아닌, 나의 목표를 위해 도전하는 행복한 미래를 만들고 싶다.

앞으로 정신병원과 만나는 일이 없을 거다. 처음에는 정말 오고 싶지 않던 장소였지만 나에게 좋은 추억과 새로운 가치관을 심어준 이곳이 고맙고도 그리울 것이다. 하지만 아쉽지는 않다. 비록 이 병원을 떠나게 되었지만 내 옆에는 여전히 사랑하는 사람들이 남아있으니 말이다.

이제부터는
친구들과,
부모님과,
나 스스로와,
어떤 일을 시도해 볼지 궁금하다.

서영e

 2024년 2월 1일.
 이 글을 쓰게 된 지 211일 뒤에서야 글을 완성 짓게
되었다. 오랜 시간을 투자했더라도 첫 책이니 만큼
실수도 많고 모자란 점도 있다. 하지만 지금은 이
책을 얼마나 잘 썼는지 보다 책을 냈다는 것에 중점을
둘 거다.
 나는 정신건강의학과 의원에서 일을 해 본적도, 그
분야를 전문적으로 배운 사람도 아니다. 그렇기에
정신병과 관련된 배경지식이 없다. 책을 읽어보고
인터넷에 찾아보아도 내가 표현한 증세가 실제 병의
증세와 오차가 있을 수도 있다. 등장인물을 표현할 때
인물이 가진 정신병보다는 그 상황에서 보통 사람이
느꼈을 감정을 중요시했다는 걸 알기 바란다.
 이 이야기를 쓰는 기간 동안 책 바깥세상에 나는 꽤
괴로운 시간을 버텨야 했다. 고작 13년 밖에 안
살아봤지만 지금껏 가장 힘들었던 시기를 글을 쓰며
넘겼다. '파란 잉크'에 도움으로 그나마 즐거운 생활을
했던 거 같다. 일상에서 나는 외롭고 마음이
공허했지만 글을 쓸 때만큼은 행복했다. 내가 직접 책
안에서 이야기를 만들어 간다는 게 기뻤다. 나 같이
마음이 아픈 사람들이 모여있는 병원을 생각만 해도
마음이 편안해졌다.

그래서 '파란 잉크'를 완성 짓는다는 것에 있어
조금의 아쉬움을 느낀다. 하지만 이제는 '파란 잉크'를
끝내고 또 새로운 글을 써나갈 생각이다. 바깥세상이
힘들고 고통스럽더라도 나를 웃게 만들어 줄 그런
소설 말이다.

이상, 호기심 많은 중학생 '서영e'의 첫 번째 소설책,
'파란 잉크'를 끝마친다.

파란 잉크

발 행 | 2024 년 2 월 2 일

저 자 | 이서영

펴낸이 | 한건희

펴낸곳 | 주식회사 부크크

출판사등록 | 2014.07.15.(제 2014-16 호)

주 소 | 서울특별시 금천구 가산디지털 1 로 119 SK 트윈타워 A 동 305 호

전 화 | 1670-8316

이메일 | info@bookk.co.kr

ISBN | 979-11-410-7024-3

www.bookk.co.kr